崇文館 家庭典藏

崇文国学经典 普及文库

战国策

〔西汉〕刘向◎校订　耿天勤◎注译

长江出版传媒
崇文书局

战国策

图书在版编目（CIP）数据

战国策 /（西汉）刘向校订；耿天勤注译．
—武汉：崇文书局，2017.1
（崇文国学经典普及文库）
ISBN 978-7-5403-4275-3
Ⅰ．①战…
Ⅱ．①刘… ②耿…
Ⅲ．①中国历史－战国时代－史籍②《战国策》－注释③《战国策》－译文
Ⅳ．①K231.04
中国版本图书馆CIP数据核字（2016）第251386号

出品人 潘启胜

统　　筹 陈中琼
责任编辑 刘水清

出版发行 长江出版传媒 | 崇文书局
地　　址 武汉市雄楚大街268号C座11层
电　　话 (027)87293001　邮政编码 430070

印　　刷 中印南方印刷有限公司
开　　本 889×1194　1/32
印　　张 6.25
字　　数 138千字
版　　次 2017年1月第1版
印　　次 2017年1月第1次印刷
定　　价 21.80元
（如发现印装质量问题，影响阅读，请与承印厂调换）

总序

现代意义的“国学”概念，是在19世纪西学东渐的背景下，为了保存和弘扬中国优秀传统文化而提出来的。1935年，王缁尘在世界书局出版了《国学讲话》一书，第3页有这样一段说明：“庚子义和团一役以后，西洋势力益膨胀于中国，士人之研究西学者日益众，翻译西书者亦日益多，而哲学、伦理、政治诸说，皆异于旧有之学术。于是概称此种书籍曰‘新学’，而称固有之学术曰‘旧学’矣。另一方面，不屑以旧学之名称我固有之学术，于是有发行杂志，名之曰《国粹学报》，以与西来之学术相抗。‘国粹’之名随之而起。继则有识之士，以为中国固有之学术，未必尽为精粹也，于是将‘保存国粹’之称，改为‘整理国故’，研究此项学术者称为‘国故学’……”从“旧学”到“国故学”，再到“国学”，名称的改变意味着褒贬的不同，反映出身处内忧外患之中的近代诸多有识之士对中国优秀传统文化失落的忧思和希望民族振兴的宏大志愿。

从学术的角度看，国学的文献载体是经、史、子、集。崇文书局的这一套国学经典普及文库，就是从传统的经、史、子、集中精选出来的。属于经部的，如《诗经》《论语》《孟子》《周易》《大学》《中庸》《左传》；属于史部的，如《战国策》《史记》《三国志》《贞观政要》《资治通鉴》；属于子部的，如《道德经》《庄子》《孙子兵法》《鬼谷子》《世说新语》《颜氏家训》《容斋随笔》《本草纲目》《阅微草堂笔记》；属于集部的，如《楚辞》《唐诗三百首》《豪放词》《婉约词》《宋词三百首》《千家诗》《元曲三百首》《随园诗话》。这套书内容丰富，而分量适中。一个希望对中国优秀传统文化有所了解的人，读了这些书，一般说来，犯常识性错误的可能性就很小了。

崇文书局之所以出版这套国学经典普及文库，不只是为了普及国学常识，更重要的目的是，希望有助于国民素质的提高。在国学教育中，有一种倾向需要警惕，即把中国优秀的传统文化“博物馆化”。“博物馆化”是20世纪中叶美国学者列文森在《儒教中国及其现代命运》中提出的一个术语。列文森认为，中国传统文化在很多方面已经被博物馆化了。虽然中国传统的经典依然有人阅读，但这已不属于他们了。“不属于他们”的意思是说，这些东西没有生命力，在社会上没有起到提升我们生活品格的作用。很多人阅读古代经典，就像参观埃及文物一样。考古发掘出来的珍贵文物，和我们的生命没有多大的关系，和我们的生活没有多大关系，这就叫作博物馆化。“博物馆化”的国学经典是没有现实生命力的。要让国学经典恢复生命力，有效的方法是使之成为生活的一部分。崇文书局之所以强调普及，深意在此，期待读者在阅读这些经典时，努力用经典来指导自己的内外生活，努力做一个有高尚的人格境界的人。

国学经典的普及，既是当下国民教育的需要，也是中华民族健康发展的需要。章太炎曾指出，了解本民族文化的过程就是一个接受爱国主义教育的过程："仆以为民族主义如稼穑然，要以史籍所载人物制度、地理风俗之类为之灌溉，则蔚然以兴矣。不然，徒知主义之可贵，而不知民族之可爱，吾恐其渐就萎黄也。"(《答铁铮》)优秀的传统文化中，那些与维护民族的生存、发展和社会进步密切相关的思想、感情，构成了一个民族的核心价值观。我们经常表彰"中国的脊梁"，一个毋庸置疑的事实是，近代以前，"中国的脊梁"都是在传统的国学经典的熏陶下成长起来的。所以，读崇文书局的这一套国学经典普及读本，虽然不必正襟危坐，也不必总是花大块的时间，更不必像备考那样一字一句锱铢必较，但保持一种敬重的心态是完全必要的。

期待读者诸君喜欢这套书，期待读者诸君与这套书成为形影相随的朋友。

陈文新

（教育部长江学者特聘教授，武汉大学杰出教授）

前言

《战国策》，简称《国策》，原是战国时期各国史官记载的有关策士们游说诸侯国的言论资料。当时，经策士们辑录成一些零散的小册子，有《国策》《国事》《事语》《短长》《长书》《修书》等不同名称，脱漏、重复、错误之处很多。西汉末，刘向校订群书时进行了整理，删去重复之处，重新编订，按国别分为《东周》《西周》《秦》《齐》《楚》《赵》《魏》《韩》《燕》《宋卫》《中山》十二国策，共三十三篇（卷），“以为战国时游士辅所用之国，为之策谋，宜为《战国策》”[1]。东汉高诱曾为之作注。到北宋，正文和注解都有散佚，曾巩作了编订、校补。到南宋，在曾巩校补的基础上，又出现两种本子，即姚宏的续注本和鲍彪的新注本。到元代，吴师道又在鲍本的基础上，作了一些补正。

《战国策》主要记载战国时期谋臣策士游说各国诸侯或相互辩论时所提出的政治主张和斗争策略，以及相互倾轧的阴谋诡计等。在一定程度上反映

①刘向《战国策书录》。

了上起三家分晋，下至楚汉之争二百多年中，各诸侯国之间和各国内部各阶级、阶层之间尖锐复杂的矛盾斗争，如七国的合纵连横，统治集团的争权夺利、相互倾轧、荒淫无耻、残忍暴虐、骄横自负、昏庸腐朽，以及兼并战争给人民带来的痛苦和灾难。当时的伦理道德、风俗习尚等，为研究战国史提供了丰富的资料。但其中经策士们加工、整理过的前辈的游说之辞，甚至于假托前辈的名义而编造出的一些书信与故事传说等，难免有夸张、背离事实的地方。如苏秦的生卒年月记载错误，苏秦由苏代弟弄成了兄，苏秦与苏代、苏厉事迹搅在一起等。所以，《战国策》的内容并非完全符合历史真实，使用它时一定要谨慎。

《战国策》主要反映了纵横家的思想。策士们在尖锐复杂的斗争中游说诸侯，以取得政治上的地位，如苏秦为取“卿相之尊”，先以连横说秦不成，后以合纵说赵终获成功。策士们为所用之国运筹帷幄、出谋划策、奔走外交、易亡图存，发挥了特殊的作用。但作者过分夸大了他们在历史上的作用，并对他们猎取功名富贵津津乐道，对某些阴谋权诈加以肯定。如夸大策士苏秦的作用，说：“苏秦相于赵而关不通。当此之时……诸侯相亲，贤于兄弟。夫一人在而天下服，一人用而天下从。”[①]书中也写了一些高士义侠，如敢于藐视权贵的颜斶，为人排难解纷的鲁仲连，敢于反抗强暴的唐且、聂政、荆轲等，歌颂了他们的高贵品质和斗争精神。书中也混杂着别家的思想，如民

①《战国策·秦策一》。

为“本”、君为“末”的思想，国家的兴衰、战争的胜负决定于人心向背的思想，重贤任能、珍惜人才的思想，崇尚策谋的思想等。这些思想，具有明显的进步性。

《战国策》又是一部优秀的历史散文著作，具有很高的艺术性。书中记载的很多策士的说辞、谋臣的策论，无论是个人陈述，还是双方辩论，无不论点明确，逻辑性强，有很强的说服力和战斗力，如《司马错与张仪争论于秦惠王前》《庄辛谓楚襄王》《秦攻赵于长平》等；许多优秀篇章，结构完整，情节曲折，语言生动，文字流畅，有很强的故事性，如《濮阳人吕不韦贾于邯郸》《孟尝君将入秦》《韩傀相韩》《燕太子丹质于秦亡归》等；书中以典型的情节，能体现个性的语言，刻画了许多栩栩如生、性格鲜明的历史人物形象，如能言善辩、诈变反复的张仪、苏秦，头脑冷静、善于讽谕的邹忌、淳于髡，机智老练、善于进谏的触龙，见义勇为、有功不取的鲁仲连，不畏权势、直言敢谏的颜斶，重义轻生、沉着机智的荆轲等。文中善于运用对偶、排比、夸张、比喻等修辞手法，增强说服力，特别是寓言故事的巧妙运用，使文章合情合理，又生动有趣。它对后世文学的发展产生了深远的影响。

《战国策》自西汉刘向校订以后，在我国长期的封建社会中，儒家学者既称赞其文章之美，又斥其内容“离经畔道”，故虽历年久远，但学者颂习不多，以至或衍或脱，或先后失次，北宋曾巩访求藏书家，重加编订，基本恢复了原貌。1978 年，上海古籍出版社以姚宏本为底本，吸收了鲍彪、吴师道诸人的注文及清黄丕烈的研究成果，将其重新整理出版，为 33 卷、

497章，有标点、校刊、汇注。1985年再版。本书选文即依据1985年再版本，篇名也同此书，有些重要的异文在注释中予以说明。选文注重思想性和艺术性，注释侧重人名、地名、官职、地理等名物及个别的假借字、生僻字，译文力求做到准确、通顺。

目录

秦攻宜阳

【题解】

本篇选自《东周策》。秦攻宜阳，楚军救韩，历史上确有其事，在周赧王七年（前308年），次年攻占。《史记·周本纪》记载："（赧王）八年，秦攻宜阳，楚救之。"

战国时期，东周是一个小王室，但在诸侯大国征战中却能分析当时的形势，利用大国之间的矛盾，寻求对策，在夹缝中求得生存。这种小国在外交战线的斗智事例，在《东周策》《西周策》《宋卫策》《中山策》中都有记载。本文即是一例。

【原文】

秦攻宜阳①，周君谓赵累曰②："子以为何如？"对曰："宜阳必拔也。"君曰："宜阳城方八里，材士十万，粟支数年，公仲之军二十万③，景翠以楚之众④临山而救之。秦必无功。"对曰："甘茂⑤，羁旅也。攻宜阳而有功，则周公旦也⑥；无功，则削迹于秦。秦王不听群臣父兄之义而攻宜阳⑦。宜阳不拔，秦王耻之。臣故曰拔。"君曰："子为寡人谋，且奈何？"对曰："君谓景翠曰：'公爵为执圭⑧，官为柱国⑨。战而胜，则无加焉矣；不胜，则死。不如背秦援宜阳⑩。公进兵。秦恐公之乘其弊也，必以宝事公；公仲慕公之为己乘秦也，亦必尽其宝。’”

秦拔宜阳，景翠果进兵。秦惧，遽效煮枣[11]。韩氏果亦效重宝。景翠得城于秦，受宝于韩，而德东周。

【注释】

①宜阳：韩国之邑，在今河南宜阳北，形势险要，是军事要塞。

②赵累：赵，鲍本作“周”。周累，疑为周臣。

③公仲：韩公族，名朋。

④景翠：楚将。

⑤甘茂：楚国下蔡（今安徽凤台）人，仕秦，武王时为左丞相。

⑥周公旦：周武王之弟，因采邑在周（今陕西岐山东北），称周公。武王死后，曾摄政成王，长期主持国政，是周初政治家。

⑦义：鲍本作“议”。

⑧执圭：楚国高级爵位。谓执玉圭朝见君主。

⑨柱国：楚国最高武官，地位仅次于令尹。

⑩不如背秦援宜阳：此句与上句有矛盾，或“背”下有“之”字，或“秦”下复有“秦”字，或“援”应作“拔”。

⑪煮枣：地名。在今山东菏泽西南。时为魏邑。

【译文】

秦国攻打宜阳，周君对赵累说：“你认为这事会怎样？”赵累回答说：“宜阳一定能攻下。”周君说：“宜阳城方圆八里，勇武之士十万，粮食够吃几年，公仲的军队有二十万人，景翠率领楚国的军队，到陉山去救援，秦国一定没有什么收获。”赵累说：“甘茂是寄居秦国的人，攻打宜阳如能建立功勋，那就是周公旦一样的人；攻不下宜阳没有功劳，就不能在秦国站住脚。秦王不听大臣们的建议去攻打宜阳，宜阳攻不下来，秦王就以此为耻辱。所以我说能攻下宜阳。”周君说：“你替我谋划一下，该怎么办？”赵累说：“你对景翠说：‘你的爵位是执圭，官职是柱国，仗打胜了，也不会增加什么了；仗打不胜，那就会死。不如避开秦兵，等秦国攻下宜阳再出兵。秦国担心你趁着它疲惫进攻，一定用宝物奉承你；公仲仰慕你是为了韩国去进攻秦国的，也一定拿出全部宝物。’”

秦国攻下宜阳，景翠果然出兵。秦国恐惧，立即献上煮枣城，韩国果然也献出贵重的宝物。景翠从秦国得到了城邑，从韩国接受了宝物，对东周还有恩德。

秦欲攻周

【题解】

本篇选自《西周策》。所载秦攻周事在周赧王四十五年（前270年），《史记·周本纪》有记载。

战国时期，西周只是一个小国，它只能利用大国之间的矛盾求得生存，而这就靠在外交上机智巧妙的周旋。在这一点上，西周并不逊于东周。

【原文】

秦欲攻周[①]，周最谓秦王曰[②]："为王之国计者，不攻周。攻周，实不足以利国，而声畏天下。天下以声畏秦，必东合于齐。兵弊于周而合天下于齐，则秦孤而不王矣。是天下欲罢秦[③]，故劝王攻周。秦与天下俱罢[④]，则令不横行于周矣。"

【注释】

①周：此指西周国。前426年，周考王封其弟姬揭于王城，称河南桓公。因王城在洛邑之西，又称这一小国为西周。

②周最：西周武公之子。《史记·周本纪》"最"作"冣"，音聚。后讹为最。秦王：指秦昭王。

③罢秦：使秦罢。罢，通"疲"，疲乏，此为使动用法。下"罢"同。

④俱：据清王念孙考证，"俱"字为后人所加。与，犹为。译文取王说。

【译文】

秦国想要攻打西周，周最对秦昭王说：“如果替大王的国家考虑的话，就不要进攻西周。进攻西周，实际上不可能对秦国有什么好处，还会招来天下人畏惧秦国的名声。天下人因为这名声害怕秦国，一定会往东与齐国联合。你的军队在攻打西周时疲惫了，又使天下各国与齐国联合，那么秦国就会孤立无援而不能称王天下了。因为天下都想使秦国疲惫，所以鼓励大王去进攻西周。如果秦国被天下人搞得疲惫了，那么你的命令就不能在西周横行无阻了。”

苏秦始将连横

【题解】

本篇选自《秦策一》。

苏秦(？～前284年)，字季子，东周洛阳(今河南洛阳东)人，是战国时期著名的纵横家。他是燕昭王的亲信，组织合纵攻齐或攻秦，后在齐国的反间活动中暴露，被齐闵王处死。

本篇记述苏秦初以连横说游说秦惠文王，未被采纳，后乃采用合纵说游说赵肃侯，取得成功，深受重用。在一定程度上反映了战国中、后期的政治状况。苏秦游说秦王时的夸张铺陈之辞，在策士说辞中有一定的代表性。文中对苏秦从失败到成功经历的描写，以及对他为猎取功名富贵而刻苦自励的情况的描述，极为生动，反映了当时社会的世态人情和封建伦常关系的实质。

【原文】

苏秦始将连横，说秦惠王曰①：“大王之国，西有巴、蜀、汉中之利②，北有胡貉、代马之用③，南有巫山、黔中之限④，东有肴、函之固⑤。田肥美，民殷富，战车万乘，奋击百万，沃野千里，蓄积饶多，地势形便，此所谓天府，天下之雄国也。以大王之贤，士民之众，车骑之用，兵法之教，可以并诸侯，吞天下，称帝而治。愿大王少留意，臣请奏其效。”

秦王曰："寡人闻之，毛羽不丰满者，不可以高飞；文章不成者，不可以诛罚[6]；道德不厚者，不可以使民；政教不顺者，不可以烦大臣。今先生俨然不远千里而庭教之，愿以异日。"

苏秦曰："臣固疑大王之不能用也。昔者神农伐补遂[7]，黄帝伐涿鹿而禽蚩尤[8]，尧伐驩(huān)兜[9]，舜伐三苗[10]，禹伐共工[11]，汤伐有夏，文王伐崇[12]，武王伐纣，齐桓任战而伯天下[13]。由此观之，恶有不战者乎？古者使车毂击驰，言语相结，天下为一；约从连横，兵革不藏；文士并饰[14]，诸侯乱惑；万端俱起，不可胜理；科条既备，民多伪态；书策稠浊，百姓不足；上下相愁，民无所聊；明言章理，兵甲愈起；辩言伟服，战攻不息；繁称文辞，天下不治；舌弊耳聋，不见成功；行义约信，天下不亲。于是，乃废文任武，厚养死士，缀甲厉兵，效胜于战场。夫徒处而致利，安坐而广地，虽古五帝三王五伯[15]、明主贤君，常欲坐而

致之，其势不能，故以战续之。宽则两军相攻，迫则杖戟相撞，然后可建大功。是故兵胜于外，义强于内；威立于上，民服于下。今欲并天下，凌万乘，诎敌国[16]，制海内，子元元，臣诸侯，非兵不可！今之嗣主，忽于至道，皆惛(mǐn)于教，乱于治，迷于言，惑于语，沈于辩，溺于辞。以此论之，王固不能行也。”

说秦王书十上，而说不行。黑貂之裘弊，黄金百溢尽，资用乏绝，去秦而归。羸縢履蹻，负书担橐，形容枯槁，面目黧黑，状有归色[17]。归至家，妻不下纴，嫂不为炊，父母不与言。苏秦喟叹曰：“妻不以我为夫，嫂不以我为叔，父母不以我为子，是皆秦之罪也。”乃夜发书，陈箧数十，得太公《阴符》之谋[18]，伏而诵之，简练以为揣摩。读书欲睡，引锥自刺其股，血流至踵，曰：“安有说人主不能出其金玉锦绣，取卿相之尊者乎？”期年，揣摩成，曰：“此真可以说当世之君矣！”

于是乃摩燕乌集阙[19]，见说赵王于华屋之下[20]，抵掌而谈。赵王大悦，封为“武安君”[21]。受相印，革车百乘，绵绣千纯，白璧百双[22]，黄金万溢[23]，以随其后，约从散横，以抑强秦。故苏秦相于赵而关不通。当此之时，天下之大，万民之众，王侯之威，谋臣之权，皆欲决苏秦之策。不费斗粮，未烦一兵，未战一士，未绝一弦，未折一矢，诸侯相亲，贤于兄弟。夫贤人在而天下服，一人用而天下从。故曰：式于政，不式于勇；式于廊庙之内，不式于四境之外。当秦之隆，黄金万溢为用，转毂连骑，炫熿于道，山东之国，从风而服，使赵大重。且夫苏秦特穷巷掘门桑户棬枢之士耳[24]，伏轼撙衔，横历天下，廷说诸侯之主，杜左右之口，天下莫之能伉。

将说楚王，路过洛阳。父母闻之，清宫除道，张乐设饮，郊迎三十里。妻侧目而视，倾耳而听；嫂蛇行匍伏，四拜自跪而谢。苏秦曰："嫂何前倨而后卑也？"嫂曰："以季子之位尊而多金。"苏秦曰："嗟乎！贫穷则父母不子，富贵则亲戚畏惧。人生世上，势位富贵，盖可忽乎哉[25]！"

【注释】

①连横：初指以韩、赵、魏为中心，东连齐，西连秦的一种策略。战国晚期，指分离六国以事秦，即"事一强而攻众弱"（《韩非子·五蠹》）。秦惠王：名驷，秦孝公之子，前337～前311年在位，谥惠文，又称惠文君。

②巴：古国名，在今重庆一带；蜀：古国名，在今四川境内。前316年，秦灭巴、蜀二国，置郡。汉中：在今陕西南部、湖北西北部，原属楚，前312年秦置郡。

③胡貉、代马：皆地名。此泛指北方少数民族地区及河北、山西北部一带。

④巫山：山名，在今重庆巫山县东。黔中：古地名，在今湖南源陵西，原

属楚，后归秦。

⑤肴：通“殽”，亦作“崤”，山名，在今河南洛宁北。函：函谷关，在今河南灵宝北。

⑥文章：指法度。

⑦神农：传说中的部落首领，始教民耕种，故号神农氏。补遂：古部族名，亦作“辅遂”。

⑧黄帝：古代部落联盟首领，号轩辕氏。涿鹿：古地名，在今河北涿州南。蚩尤：相传为古九黎族首领。

⑨驩兜：尧臣，与共工、鲧、三苗合称“四凶”，被尧放逐于崇山。

⑩三苗：古部族名，在今湖南洞庭、江西鄱阳一带，被舜迁到三危(今甘肃敦煌一带)。

⑪共公：尧臣，“四凶”之一，被舜流放于幽州。

⑫崇：崇侯虎，纣王卿士，助纣为虐，周文王伐之。

⑬伯：同“霸”，称霸。

⑭饰：一作“饬”，修饰。

⑮五帝：原始社会末期五个部落联盟的首领。说法不一。据《史记·

五帝本纪》,指黄帝、颛顼、帝喾、唐尧、虞舜。三王:指夏、商、周三代开国君王,即夏禹、商汤、周文王、周武王。五伯:即五霸,指春秋时期诸侯的五个霸主。战国时人通常指齐桓公、晋文公、楚庄王、吴王阖闾、越王勾践。

⑯诎敌国:使敌国屈服。诎,同“屈”。

⑰归色:惭愧的样子。归,通“愧”。

⑱太公《阴符》:传为姜太公所著兵法。

⑲燕乌集阙:宫阙名。

⑳赵王:《史记·苏秦列传》及《战国策》鲍彪注并以为赵肃侯。今经考证,赵封苏秦为武安君在赵惠文王十二年(前287年),较赵肃侯晚四五十年,故不可信。

㉑武安:赵邑,在今河北武安西南。

㉒璧:鲍本作“璧”,即玉环。

㉓溢:鲍本作“镒”。古代一镒为一金,一金为一斤,二十四两。万镒即万金。

㉔掘门:凿墙为门。掘,通“窟”。桑户:用桑条编的门;棬枢:用曲木做门轴。

㉕盖:通“盍”,何。

【译文】

苏秦起初用“连横”说游说秦惠王,说:“大王的国家,西边有巴、蜀、汉中的富饶物产,北边有胡貉、代马的有用资财,南边有巫山、黔中的险要地形,东边有殽山、函谷关等坚固关塞。土地肥沃,百姓富足,战车万辆,勇士百万,良田千里,积蓄丰厚,地势险要,便于攻守,这真是天然的府库,是天下的强国啊!凭着大王的贤明,士卒与百姓的众多,车马的精良，兵法的熟练，完全能够吞并诸侯，统一天下，称帝号而治理全国。希望大王稍加注意，允许我谈谈实现这一大业的方略。”

秦惠王说：“寡人听说，羽毛没有长丰满的鸟儿不可以高飞，法令不完备的国家不可以进行惩罚，道德不高尚的君主不可以役使百姓，政教不清明的君主不可以劳烦大臣。今天先生庄重地不远千里而来登庭指教我，我看还是等改日再领教吧！”

苏秦说：“我本来就怀疑大王是不会采用我的意见的。从前神农氏讨伐补遂，黄帝进攻涿鹿而擒杀蚩尤，唐尧流放驩兜，虞舜驱逐三苗，夏禹讨伐共工，商汤讨伐夏桀，周文王讨伐崇侯，周武王讨伐商纣，齐桓公凭借武力而称霸天下。由此看来，哪有不通过武力而称霸天下的国家呢？古时候的使者乘车奔走，往来频繁，互相缔结口头盟约，谋求天下统一；后来相约合纵连横，还是战争不止；文士们争着巧辩游说，使诸侯更加慌乱迷惑；各种事端发生，简直无法处理；法令条规已经完备，百姓还是弄虚作假；文书政令繁杂，百姓更加贫困不足；君臣上下互相怨恨，百姓无所依靠；文士们的话说得明白、理讲得清楚，战争还是频繁发生；文士们言辞巧辩、衣着奇伟，攻战不能停息；繁杂的称引、华丽的言辞，天下仍然不得太平；舌头磨破、耳朵震聋，也看不到成就功业；诸侯以诚信相约，行仁义之事，也不能使天下相亲。于是就弃文用武，多养敢死之士，缝制铠甲，磨砺兵器，在战场上决定胜负。什么不干而想得到好处，安居不动而要扩大疆域，即使是古代的五帝、三王、五霸、贤明的君主也想坐着得到这些，但实际上是不可能的，所以最后用战争手段来达到目的。两军相对就互相攻打，短兵相接就持戟搏杀，这样才能建立伟大功业。因此军队在国外打了胜仗，道义就在国内增强；君主树立了权威，百姓才会服从。如今要想兼并天下，凌驾于大国之上，折服敌国，控制海内，统治百姓，使诸侯臣服，非用武力不可。如今继承君位的国主，都忽视了这个重要的道理，不懂得教化百姓，不修明政治，常被一些诡辩之士的花言巧语所迷惑，被游说之士的辩言诡辞所左右。照这样说来，大王一定不能行霸王之事了。”

苏秦游说秦惠王的奏章上了十次，然而他的主张始终未被秦王采纳。他穿的黑貂皮衣破了，带的百斤黄金也用完了，钱财也用光了，只好离开秦国回家。他缠着裹腿，穿着草鞋，背着书籍，挑着行囊，容貌憔悴，脸色黧黑，一副惭愧的样子。回到家里，妻子不下织机迎接，嫂子不给他做饭，父母不和他说话。苏秦长叹一声说：“妻子不把我当丈夫，嫂子不把我当小叔，父母不把我当儿子，这都是我苏秦自己的过错啊！”于是连夜取出藏书，摆列开几十个书箱，从中找出一部姜太公讲谋略的《阴符》，伏案诵读，选取书中重要内容熟读，并揣摩天下形势。当他读书读到要打瞌睡时，就拿锥子刺自己的大腿，鲜血一直流到脚上，说：“哪有游说君主不能使他拿出金玉锦绣，并且使自己得到卿相高位的呢？”过了一年，他思想成熟，说：“这次真的可以说服当代各国的君主了！”

于是苏秦途经燕乌集阙，在华丽的宫室里谒见并游说赵王，气氛十分融洽。赵王十分高兴，封他为武安君。还授予他相印，送给他兵车一百辆，锦绣一千匹，白璧一百双，黄金一万斤，车队尾随在他的后面去游说各国，约定合纵，拆散连横，以此抑制强大的秦国。因此，苏秦在赵国做相，山东六国和秦国断绝了往来。这个时候，广大的天下，众多的百姓，威风的王侯，掌权的谋臣，全都要取决于苏秦的决策。不耗费一斗粮食，没烦劳一个士兵，没让一个战士打仗，没断过一根弓弦，没损失一根箭头，使六国诸侯和睦相处，比兄弟还亲近。这真是贤明人士在位，天下就会归服；一个有才能的人被任用，天下就会顺从。所以说：要用政治手段解决问题，不必使用武力；要在朝廷上很好谋划，不必到边境上大动干戈。当苏秦贵盛得志的时候，黄金万斤任他使用，车马众多，结队相随，在路上奔驰不绝，声威显赫，山东诸侯各国，望风顺服，使赵国大受尊重。至于苏秦，只不过是个住在陋巷、凿墙做门、桑条编窗、曲木做门轴的穷困书生罢了，可他却乘坐战车，手握马缰，遍行天下，在各国朝廷上游说诸侯君王，使诸侯王的亲信不敢开口，天下没有人能和他抗衡。

苏秦将要去游说楚王，路过洛阳，父母听说后，赶紧整理房间，清扫道路，雇用乐队，设置酒席，到郊外三十里去迎接他。妻子对他侧目，竖着耳朵听他说话；嫂子趴在地上像蛇一样爬行，跪在苏秦面前拜了四拜，一再道歉。苏秦说："嫂子，你为什么先前那样傲慢而现在又这样卑下呢？"嫂子说："因为你现在地位尊贵而金钱又多啊。"苏秦说："唉！一个人穷困潦倒时，连父母也不把他当儿子看待，一旦富贵之后，连亲戚都感到畏惧。人活在世上，权势和富贵怎么能忽视呢！"

司马错与张仪争论于秦惠王前

【题解】

本文选自《秦策一》。内容又见《史记·张仪列传》。

在秦国的攻伐对象问题上，司马错与张仪的意见针锋相对。张仪主张伐魏劫周，挟天子以令诸侯，早日称霸。司马错则认为如此对秦不利，主张先伐巴、蜀以富国强兵，然后建立霸业。二人在秦王前展开了一场争论。司马错的意见符合当时秦国的情况，切实可行，被秦王采纳。本文记述了这场争论的情况。

【原文】

司马错与张仪争论于秦惠王前①。司马错欲伐蜀，张仪曰："不如伐韩。"王曰："请闻其说。"

对曰："亲魏善楚，下兵三川②，塞轘(huán)辕、缑氏之口③，当屯留之道④，魏绝南阳⑤，楚临南郑⑥，秦攻新城、宜阳⑦，以临二周之郊，诛周主之罪，侵楚、魏之地⑧。周自知不救，九鼎宝器必出⑨。据九鼎，按图籍，挟天子以令天下，天下莫敢不听，此王业也。今夫蜀，西辟之国，而戎狄之长也。弊兵劳众，不足以成名；得其地不足以为利。臣闻：'争名者于朝，争利者于市。'今三川、周室，天下之市朝也，而王不争焉，顾争于戎狄，去王业远矣。"

司马错曰："不然。臣闻之，欲富国者，务广其地；欲强兵者，务富其民；欲王者，务博其德。三资者备，而王随之矣。今王之地小民贫，故臣愿从事于易。夫蜀，西辟之国也，而戎狄之长也，而有桀、纣之乱。以秦攻之，譬如使豺狼逐群羊也。取其地，足以广国也；得其财，足以富民；缮兵不伤众，而彼已服矣。故拔一国，而天下不以为暴；利尽西海[10]，诸侯不以为贪。是我一举而名实两附，而又有禁暴正乱之名。今攻韩劫天子。劫天子，恶名也，而未必利也，又有不义之名，而攻天下之所不欲，危！臣请谒其故：周，天下之宗室也；齐，韩、周之与国也[11]。周自知失九鼎，韩自知亡三川，则必将二国并力合谋，以因于齐、赵，而求解乎楚、魏。以鼎与楚，以地与魏，王不能禁。此臣所谓'危'，不如伐蜀之完也。"惠王曰："善！寡人听子。"

卒起兵伐蜀，十月取之，遂定蜀。蜀主更号为侯，而使陈庄相蜀。蜀既属，秦益强富厚，轻诸侯。

【注释】

①司马错：秦惠王时将领，官司马。张仪：魏人，著名的纵横家。秦惠王十年（前328年）为秦相，游说各国，瓦解齐、楚联盟，使秦日强。后归魏。

②三川：指河、洛、伊三水之间地，在今河南境内的黄河以南。

③轘辕：山名，因山路盘旋往复十二曲而得名，在今河南偃师东南。缑氏：古地名，地当伊洛平原东部嵩山口，历代为军事要地。

④屯留：韩地，当时属上党之地，在今山西屯留东南。

⑤南阳：此指韩地南阳，在今河南西南部一带。

⑥南郑：古郑地，时为韩都，在今河南新郑。

⑦新城：韩邑，在今河南伊川西南。宜阳：韩国西部军事要塞，在今河南宜阳西北洛河北岸。

⑧侵楚魏之地：此句与上文“亲魏善楚”有矛盾，或以为“侵”当作“复”，“楚魏”二字当作“三川”。译文从之。

⑨九鼎：古代象征国家政权的传国之宝。传说夏禹铸九鼎，象征九州。商汤灭夏，迁鼎于商邑；周灭商，周武王迁鼎于洛邑。战国时，鼎在西周君所辖之河南王城，秦、楚皆有兴师临周求鼎之事。

⑩西海：指西部地区。

⑪齐，韩、周之与国也：《史记》作“齐，韩之与国也”，“周”字当衍。

【译文】

司马错与张仪在秦惠王面前争论。司马错想攻打蜀国，张仪说：“不如攻打韩国。”秦惠王说：“我愿听听你的意见。”

张仪回答说：“我们先亲近魏国，和楚国友好，然后向韩国三川出兵，堵住轘辕、缑氏山口，挡住屯留道口，让魏国断绝和韩国南阳的交通，让楚国兵临韩国都城南郑，我军进攻新城和宜阳，这样就逼近东周、西周的城郊，讨伐二周君主的罪过，还可占领三川一带的土地。二周君主自己知道无法挽救，一定会献出九鼎宝器。我们据有九鼎再按照地图和户籍，挟制天子而号令天下，天下诸侯没有谁敢不听从，这是成就帝王的大业啊。至于蜀国，只是西方的一个偏僻国家，和戎族、狄族同类，使军队疲惫、民众劳苦去攻打它，却不能够成就帝王之名，得到那块土地也不能获得实际利益。我听说：‘争名的人要到朝廷，争利的人要到市场。’如今三川、周室，就是天下的市场、朝廷，而大王却不去争夺，反而到戎、狄地区去争夺，这离成就帝王之业太远了。”

司马错说：“不对。我听说，要想使国家富强，务必先扩张领土；要想使军队强大，一定要先使人民富足；要想称帝称王，必须要先施仁德。这三个条件具备了，成就帝王的大业随后也就到来了。如今大王的土地狭小，百姓贫穷，所以我希望大王从容易的事情着手。蜀国是西方一个偏僻的国家，和戎族、狄族同类，又有夏桀、商纣一样的祸乱。用秦国的军队攻打它，就像让豺狼驱赶羊群一样。秦国取得蜀国的土地，足以扩大领土；得到蜀国的财富，足以使百姓富裕；使军队强大又不损伤民众，而蜀国已经归服了。所以我们攻占一个国家，而天下人不认为我们强暴；我们占有西部地区全部财富，各诸侯国也不会认为我们贪婪。这样，我们只对蜀国用兵一次，就会有名义上和实际上的双重收获，而且还能得到勘定暴乱的好名声。如果我们去进攻韩国、劫持天子，劫持天子是很坏的名声，而且未必得到什么好处，还会落个不义的名声。攻打天下人不愿意攻打的国家，这很危险！我请求说明原因：周国是天下尊奉的王室，齐国是韩国的盟国。周国知道自己将失去九鼎，韩国知道自己将失去三川，那么这两个国家一定会同心协力，并通过齐国和赵国，向楚国和魏国请求救援。周国把九鼎送给楚国，韩国把土地让给魏国，大王也不能禁止他们这样做。这就是我所说的‘危险’，不如攻打蜀国稳妥。”秦惠王说：“好！我听你的意见。”

秦国最终出兵攻打蜀国，十个月平定了蜀地。秦惠王把蜀国君主的名号改为侯，并派陈庄做蜀国的相国。蜀国归属秦国以后，秦国更加强盛富足，也更轻视天下诸侯了。

齐助楚攻秦

【题解】

本文选自《秦策二》。内容又见《史记·张仪列传》。

战国时期，诸侯国之间尔虞我诈，互相倾轧、兼并，策士们为达到自己的目的，更是不择手段。张仪就是这样一个背信弃义的无耻之徒，而楚怀王目光短浅、见利忘义，不听有远见的大臣陈轸之言，轻信张仪，受骗上当。与齐国绝交，被秦国打败，正是他昏庸愚蠢的表现。此后，楚国元气大伤，成为秦国兼并六国的转折点。

【原文】

齐助楚攻秦，取曲沃[①]。其后，秦欲伐齐，齐、楚之交善，惠王患之，谓张仪曰："吾欲伐齐，齐、楚方欢[②]，子为寡人虑之，奈何？"张仪曰："王其为臣约车并币，臣请试之。"

张仪南见楚王曰[③]："弊邑之王所说甚者[④]，无大大王[⑤]；唯仪之所甚愿为臣者，亦无大大王。弊邑之王所甚憎者，亦无先齐王[⑥]；唯仪之所甚憎者，亦无大齐王。今齐王之罪，其于弊邑之王甚厚，弊邑欲伐之，而大国与之懽，是以弊邑之王不得事王，而仪不得为臣也。大王苟能闭关绝齐，臣请使秦王献商於之地[⑦]，方六百里。若此，齐必弱，齐弱则必为王役矣。则是北弱齐，西德于秦，而私商於之地以为利也，则此一计而三利俱至。”

楚王大说，宣言之于朝廷，曰：“不谷得商於之地，方六百里。”群臣闻者毕贺，陈轸后见[8]，独不贺。楚王曰：“不谷不烦一兵，不伤一人，而得商於之地六百里，寡人自以为智矣！诸士大夫皆贺，子独不贺，何也？”陈轸对曰：“臣见商於之地不可得，而患必至也，故不敢妄贺。”王曰：“何也？”对曰：“夫秦所以重王者，以王有齐也。今地未可得而齐先绝，是楚孤也，秦又何重孤国？且先出地后绝齐，秦计必弗为也。先绝齐后责地，且必受欺于张仪。受欺于张仪，王必惋之。是西生秦患，北绝齐交，则两国兵必至矣。”楚王不听，曰：“吾事善矣！子其弭口无言，以待吾事。”楚王使人绝齐，使者未来，又重绝之。

张仪反，秦使人使齐，齐、秦之交阴合。楚因使一将军受地于秦。张仪至，称病不朝。楚王曰：“张子以寡人不绝齐乎？”乃使勇士往詈（lì）齐王。张仪知楚绝齐也，乃出见使者曰：“从某至某，广从六里。”使者曰：“臣闻六百里，不闻六里。”仪曰：“仪固以小人，安得六百里？”使者反报楚王，楚王大怒，欲兴师伐秦。陈轸曰：“臣可以言乎？”王曰：“可矣。”轸曰：“伐秦非计也，王不如因而赂之一名都，与之伐齐，是我亡于秦而取偿于齐也。楚国不尚全事[9]。王今已绝齐，而责欺于秦，是吾合齐、秦之交也，固必大伤[10]。”

楚王不听，遂举兵伐秦。秦与齐合，韩氏从之，楚兵大败于杜陵[11]。故楚之土壤士民非削弱，仅以救亡者，计失于陈轸，过听于张仪。

【注释】

①曲沃：原魏邑，后归秦。时有二曲沃，一在今山西闻喜东北，一在今河南三门峡西南。此指后者。

②欢：交好、友好。

③楚王：楚怀王。

④弊邑之王：指秦王。说甚：据下文，当作“甚说”。说，同“悦”，悦服。

⑤大：超过。大王：指楚王。

⑥亦无先齐王：“亦”字衍。鲍本“先”作“大”，当是。齐王，指齐宣王。

⑦商於：古地区名，在今陕西商县至河南西陕一带。

⑧陈轸：战国时著名策士，仕楚，亦曾仕齐、魏。

⑨事：一作“乎”。

⑩固:当作“国”。

⑪杜陵:当是杜县,在今陕西西安东南。

【译文】

齐国帮助楚国进攻秦国,攻占了秦国的曲沃。此后,秦国想讨伐齐国,可是齐、楚两国交往亲善,秦惠王为此感到忧虑,对张仪说:“我想讨伐齐国,但是齐、楚两国关系很密切,你替我想一下,该怎么办?”张仪说:“请大王为我准备车马和礼物,让我去游说楚王试试看。”

张仪去南方见楚怀王说:“敝国国王最敬重的人,没有超过大王的了;即使我张仪最愿意做他的臣子,也没有超过大王您的了。敝国国王最憎恶的人,没有超过齐王的了;即使我张仪最憎恶的人,也没有超过齐王的了。现在齐王的罪恶,对于敝国国王来说是很严重的,敝国想讨伐齐国,而贵国与齐国关系密切,因此敝国国王不能好好地侍奉大王,而我张仪也不能做您的臣下了。大王如果能封闭关口,与齐国绝交,我就请求秦王献上方圆六百里的商於这块土地。这样,齐国一定会削弱,齐国削弱了,就一定会听从大王的役使了。那样的话,贵国既在北方削弱了齐国,又在西方对秦国有恩惠,而又得到商於这块土地,这是用一个计策而能得到三种好处。”

楚怀王非常高兴,就在朝廷上宣布,说:“我将得到商於这块方圆六百里的土地。”群臣们听到这个消息,前来朝见的都向他道贺,陈轸最后来朝见,只有他不道贺。楚怀王说:“我没有劳烦一个士兵,没有伤害一个百姓,却得到商於这块方圆六百里的土地,我自己认为这是明智的事情!群臣都向我道贺,只有你不道贺,这是为什么?”陈轸回答说:“依我看,商於这块土地不但不能得到,反而祸患必将到来,所以不敢随便道贺。”楚怀王问:“什么原因呢?”陈轸回答说:“秦国之所以重视大王，是因为大王有齐国这个盟国。如今土地还没得到，却先和齐国绝交，这样我们楚国就会陷于孤立，秦国又怎么会看重一个孤立的国家呢？况且先让秦国交出土地，我们再与齐国绝交，估计秦国一定不会这么做的。我们先和齐国绝交，然后再向秦国索要土地，就必将受到张仪的欺骗。受到张仪的欺骗，大王一定会悔恨的。这样一来，西面惹出秦国的祸患，北面和齐国断绝邦交，那么秦国、齐国的军队就要打到我国来了。”楚怀王不听陈轸的劝告，说：“这事我已经办好了，请你闭上嘴，不要再说了，就等着我大功告成吧。”楚怀王派人去宣布与齐国绝交，使者还没回来，又再派人去与齐国绝交。

张仪返回秦国后，秦国派人出使齐国，齐、秦两国的盟约暗中缔结。楚国随即派一名将军去秦国接受土地。楚国将军到了秦国，张仪推脱有病，不去上朝。楚怀王说：“张仪认为我没有和齐国绝交吗？”于是派一名勇士去齐国骂齐王。张仪知道楚国确实和齐国绝交了，才出来接见楚国的使者，说：“从这里到那里，方圆六里。”楚国使者说：“我听说是六百里，没听说是六里。”张仪说：“我本来就是个普通的小臣，哪里有六百里土地呢？”楚国使者回国报告了楚怀王，楚怀王大怒，想发兵讨伐秦国。陈轸说：“我可以说话了吗？”楚怀王说：“可以了。”陈轸说：“讨伐秦国不是个好办法，大王不如趁机送给秦国一个大都邑，和秦国连兵讨伐齐国，这样我们从秦国那里失去的，却可以从齐国那里得到补偿。楚国不还是完整无缺吗？大王如今已经和齐国绝交，又去责备秦国欺骗我们，这样就是我们促进了齐、秦两国的联合，我国必然受到更大的伤害。

楚怀王不听陈轸的意见。于是发兵攻打秦国。秦国和齐国联合，韩国也出兵跟随他们。楚国军队在杜县打了个大败仗。本来楚国的土地并不狭小，人民也并不懦弱，这样的结果全是因为楚怀王不听陈轸的计策，而错误地听信了张仪的诡计。

楚绝齐，齐举兵伐楚

【题解】

本文选自《秦策二》。内容又见《史记·陈轸列传》。

陈轸是战国时期著名的策士，在齐、楚两国的一次战争中，他为楚使秦，借用“卞庄子刺虎”的民间故事，劝秦国暂守中立。这表面上是为秦王出谋划策，实际上是阻止秦国助齐，为楚国“东解于齐，西媾于秦”创造条件。陈轸讲得委婉动听，切中秦王心理，很有说服力。

【原文】

楚绝齐，齐举兵伐楚。陈轸谓楚王曰①：“王不如以地东解于齐，西讲于秦。”

楚王使陈轸之秦，秦王谓轸曰②：“子秦人也，寡人与子故也，寡人不佞，不能亲国事也，故子弃寡人事楚王。今齐、楚相伐，或谓救之便，或谓救之不便，子独不可以忠为子主计，以其余为寡人乎？”

陈轸曰：“王独不闻吴人之游楚者乎③？楚王甚爱之，病，故使人问之，曰：‘诚病乎？意亦思乎④？’左右曰：‘臣不知其思与不思，诚思则将吴吟⑤。’今轸将为王吴吟。王不闻夫管与之说乎？有两虎诤人而斗者，卞庄子将刺之⑥，管与止之曰：‘虎者，戾虫；人者，甘饵。今两虎诤人而斗，小者必死，大者必伤。子待伤虎而刺之，则是一举而兼两虎也。无刺一虎之劳，而有刺两虎之名。'齐、楚今战，战必败⑦。败，王起兵救之，有救齐之利，而无伐楚之害。计听知覆逆者，唯王可也。计者，事之本也；听者，存亡之机。计失而听过，能有国者寡也。故曰：'计有一二者难悖也，听无失本末者难惑⑧。'"

【注释】

①楚王：指楚怀王，时当其十六年。

②秦王：指秦惠文王。

③游：游宦，在外做官。

④意亦：同"抑亦"，还是。

⑤吴吟：操吴音呻吟，意谓吴人终不忘吴。

⑥卞庄子：春秋时吴国卞邑人，以勇力闻名。

⑦战必败：当作"战必败一"，即二国战，必败其一。

⑧"计听"至末尾五十一字：为上篇之错简。译文未译。

【译文】

楚国和齐国断绝了外交关系，齐国发兵攻打楚国。陈轸对楚怀王说："大王不如用割地的办法，在东面与齐国和解，在西面和秦国媾和。"

楚怀王就派陈轸到秦国去，秦惠文王对陈轸说："你是秦国人，我和你有老交情。我没有才能，不能亲自掌管国事，所以你离开我去侍奉楚王。现在齐国和楚国互相攻打，有人说救助齐国有利，有人说救助齐国不利，你难道不能在忠心为你的君主谋划的时候，也为我出点儿主意吗？”

陈轸说：“大王难道没有听说过那个在楚国做官的吴国人的事吗？楚先王很喜欢他。他病了，楚先王就派人去慰问他，说：‘你是真病了呢？还是思念吴国了呢？’身边的人回答说：‘我们不知道他思念不思念吴国，如果真思念吴国的话，那么他就会操吴音呻吟。’现在我也为大王操吴音呻吟。大王没有听说过管与的见解吗？有两只老虎为争吃一个人而打了起来，卞庄子要去刺杀它们，管与阻止他说：‘老虎是凶残的野兽，人是老虎甜美的食物。现在两只老虎为争吃一个人而争斗，力小的那只一定会被咬死，力大的那只也一定会被咬伤。你等力大的那只被咬伤后再去刺杀它，那就可以一下子得到两只老虎。没有付出刺杀一只老虎的辛劳，却能得到刺杀两只老虎的名声。’现在齐、楚两国正在交战，一定有一方战败。如果齐国战败了，大王就发兵救援它。这样，就会得到救助齐国的好处，而不会有攻打楚国带来的恶果。”

秦武王谓甘茂

【题解】

本文选自《秦策二》。记述甘茂攻克宜阳的经过。内容又见《史记·甘茂列传》《新序·杂事二》。

甘茂用乐羊攻打中山和曾母投杼的故事劝谏秦武王,取得了秦王的信任,才使攻宜阳的战争进行到底。文章反映了秦国统治阶级内部尖锐的斗争。成语“谤书一箧”“曾母投杼”“息壤在彼”,皆源于此。

【原文】

秦武王谓甘茂曰[①]:“寡人欲车通三川,以窥周室,而寡人死不朽乎?”甘茂对曰:“请之魏,约伐韩。”王令向寿辅行[②]。

甘茂至魏,谓向寿:“子归告王曰:‘魏听臣矣,然愿王勿攻也。’事成,尽以为子功。”向寿归以告王,王迎甘茂于息壤[③]。

甘茂至,王问其故。对曰:“宜阳,大县也,上党、南阳积之久矣[④],名为县,其实郡也。今王倍数险,行千里而攻之,难矣。臣闻张仪西并巴、蜀之地,北取西河之外[⑤],南取上庸[⑥],天下不以为多张仪而贤先王。魏文侯令乐羊将[⑦],攻中山[⑧],三年而拔之,乐羊反而语功,文侯示之谤书一箧,乐羊再拜稽首曰:‘此非臣之功,主君之力也。'今臣羁(jī)旅之臣也,樗里疾、公孙衍二人者[9],挟韩而议,王必听之,是王欺魏,而臣受公仲侈之怨也[10]。昔者曾子处费[11],费人有与曾子同名族者而杀人,人告曾子母曰:'曾参杀人。'曾子之母曰:'吾子不杀人。'织自若。有顷焉,人又曰:'曾参杀人。'其母尚织自若也。顷之,一人又告之曰:'曾参杀人。'其母惧,投杼逾墙而走。夫以曾参之贤,与母之信也,而三人疑之,则慈母不能信也。今臣之贤不及曾子,而王之信臣又未若曾子之母也,疑臣者不适三人,臣恐王之为臣投杼也。"王曰:"寡人不听也,请与子盟。"于是与之盟于息壤。

果攻宜阳,五月而不能拔也。樗里疾、公孙衍二人在,争之王,王将听之,召甘茂而告之。甘茂对曰:"息壤在彼。"王曰:"有之。"因悉起兵,复使甘茂攻之,遂拔宜阳。

【注释】

①秦武王:秦惠文王之子,名荡,前 310 ~前 307 年在位。

②向寿:秦昭王母宣太后的外族,秦武王的亲信。

③息壤:秦邑,在今陕西咸阳东郊。

④上党:韩郡名,在今山西东南部,治壶关(今长治市北)。

⑤西河:魏郡,在今陕西东部黄河西岸,前 330 年入秦。

⑥上庸:楚邑,在今湖北竹山西,后归秦。

⑦魏文侯:名斯,魏国的建立者,前 445 ~前 396 年在位。乐羊:魏将。

⑧中山：古国名，建都于顾(今河北定县)，前406年被魏所灭。

⑨樗里疾：秦惠文王的异母弟，名疾，居樗里，故称。秦武王时，为丞相。公孙衍：战国时魏人，号犀首，仕秦，为大良造，后入魏为将。

⑩公仲侈：韩相。侈为“倗”字之讹。

⑪曾子：名参，字子舆，春秋鲁人，孔子弟子，事亲至孝。费：鲁邑，在今山东费县北。

【译文】

秦武王对甘茂说：“我想出兵打通韩国的三川，以便伺机攻取洛邑，吞并周室，这样我即使死了，也可以不朽了。”甘茂回答说：“请让我出使魏国，约它一起讨伐韩国。”秦武王派向寿为副使一同出行。

甘茂到了魏国，对向寿说：“你回去报告大王，说：‘魏国答应我的要求了，但希望大王不要马上攻打韩国。’这件事办成了，功劳全归你。”向寿回国后把甘茂的话告诉了秦武王，秦武王到息壤迎接甘茂。

甘茂到了息壤，秦武王问他不让马上出兵攻打韩国的缘故。甘茂回答说：“宜阳是韩国的大县，上党、南阳两地的财力在那里积聚已经很久了。它名义上是县，实际上相当于郡。如今大王出兵要经过很多险要的地方，行军千里而去进攻它，是很难的。我听说张仪在西边为秦国吞并了巴、蜀的土地，北边攻取了西河以西，南边取得了上庸，但天下的人们并不因此称赞张仪，而认为是先王贤明。魏文侯命令乐羊率领军队，攻打中山，用了三年才攻下来。乐羊回来谈自己的功劳，魏文侯拿出一箱子诽谤他的书信给他看，乐羊拜了两拜叩头说：‘这不是我的功劳，全仗君主的支持啊。’如今，我是一个客居秦国的人，樗里疾、公孙衍二人，如果抓住没有攻下韩国为借口来非议我，大王一定会听信他们。这样，大王就欺骗了魏国，而我也会受到韩相公仲倗的埋怨。

从前，曾子住在费邑，费邑有个与曾子同姓名的人杀了人。有人去告诉曾子的母亲说：'曾参杀人了。'曾子的母亲说：'我的儿子是不会杀人的。'她照常织布。过了一会儿，又有人来告诉她说：'曾参杀人了。'曾子的母亲仍然照常织布。又过了一会儿，又有一个人来告诉她说：'曾参杀人了。'曾子的母亲害怕了，扔下梭子，跳墙逃跑了。凭着曾参的德行和他母亲的信任，三个人怀疑他杀了人，慈母就不敢信任他了。如今，我的德行赶不上曾子，而大王对我也不如曾子的母亲对曾子那样信任，怀疑我的又不止三个人，恐怕大王也会扔下梭子的。"秦武王说："我不会听他们那些话的，请让我同你立个誓约吧。"于是秦武王与甘茂在息壤立下了誓约。

果然，甘茂领兵攻打宜阳，过了五个月还没攻下来。樗里疾、公孙衍二人就说甘茂的坏话，极力劝说秦王从宜阳撤军。秦武王打算听他俩的话，召回甘茂并告诉他撤军的事。甘茂回答说："息壤的誓约在那里呀。"秦武王说："有这个誓约。"于是把全国的军队都调去增援，让甘茂领兵继续攻打宜阳，最后终于攻克了宜阳。

范雎至秦

【题解】

本文选自《秦策三》。内容又见《史记·范雎列传》。

秦昭王时期，以其母宣太后和舅舅穰侯魏冉为首的贵族势力，独揽朝政，骄奢淫逸，排斥六国入秦的士人。策士范雎洞察秦国政治上的弊端，认为秦国要想称霸天下，对内必须铲除腐朽的贵族势力，对外必须采取灵活的外交政策。他得到了秦王的信任和重用，为秦国的富强起了很大作用。本文即记述了范雎向秦昭王进献谋略并受到秦昭王重用的故事。范雎善于抓住对方心理，因势利导，伺机献策，先陈远交近攻策略，再谏夺太后、穰侯之权。在策士说辞中，具有代表性。

【原文】

范雎至秦[①]，王庭迎，谓范雎曰："寡人宜以身受令久矣。今者义渠之事急[②]，寡人日自请太后，今义渠之事已，寡人乃得以身受命。躬窃闵然不敏，敬执宾主之礼。"范雎辞让。

是日见范雎，见者无不变色易容者。秦王屏左右，宫中虚无人。秦王跪而请曰："先生何以幸教寡人？"范雎曰："唯唯[③]。"有间，秦王复请，范雎曰："唯唯。"若是者三。

秦王跽曰[④]："先生不幸教寡人乎？"

范雎谢曰："非敢然也。臣闻始时吕尚之

遇文王也[5]，身为渔父而钓于渭阳之滨耳。若是者，交疏也。已一说而立为太师，载与俱归者，其言深也。故文王果收功于吕尚，卒擅天下而身立为帝王。即使文王疏吕望而弗与深言，是周无天子之德，而文、武无与成其王也。今臣，羁旅之臣也，交疏于王，而所愿陈者，皆匡君之事[6]，处人骨肉之间，愿以陈臣之陋忠，而未知王心也，所以王三问而不对者是也。臣非有所畏而不敢言也，知今日言之于前，而明日伏诛于后，然臣弗敢畏也。大王信行臣之言，死不足以为臣患，亡不足以为臣忧，漆身而为厉[7]，被发而为狂，不足以为臣耻。五帝之圣而死，三王之仁而死，五伯之贤而死，乌获之力而死[8]，奔、育之勇而死[9]。死者，人之所必不免也。处必然之势，可以少有补于秦，此臣之所大愿也，臣何患乎？伍子胥橐（tuó）载而出昭关[10]，夜行而昼伏，至于蓤水[11]，无以饵其口，坐行蒲服，乞食于吴市，卒兴吴国，阖庐为霸。使臣得进谋如伍子胥，加之以幽囚，终身不复见，是臣说之行也，臣何忧乎？箕子、接舆[12]，漆身而为厉，被发而为狂，无益于殷、楚。使臣得同行于箕子、接舆，漆身可以补所贤之主，是臣之大荣也，臣又何耻乎？臣之所恐者，独恐臣死之后，天下见臣尽忠而身蹶也，是以杜口裹足，莫肯即秦耳。足下上畏太后之严，下惑奸臣之态；居深宫之中，不离保傅之后；终身暗惑，无与照奸；大者宗庙灭覆，小者身以孤危。此臣之所恐耳！若夫穷辱之事，死亡之患，臣弗敢畏也。臣死而秦治，贤于生也。”

秦王跽曰：“先生是何言也！夫秦国僻远，寡人愚不肖，先生乃幸至此，此天以寡人慁(hùn)先生，而存先王之庙也。寡人得受命于先生，此天所以幸先王而不弃其孤也。先生奈何而言若此！事无大小，上及太后，下至大臣，愿先生悉以教寡人，无疑寡人也！”范雎再拜，秦王亦再拜。

范雎曰：“大王之国，北有甘泉、谷口[13]，南带泾、渭，右陇、蜀[14]，左关、阪[15]；战车千乘，奋击百万。以秦卒之勇，车骑之多，以当诸侯，譬若驰韩卢而逐蹇兔也[16]，霸王之业可致。今反闭而不敢窥兵于山东者，是穰侯为国谋不忠，而大王之计有所失也。”

王曰：“愿闻所失计。”

雎曰：“大王越韩、魏而攻强齐，非计也。少出师，则不足以伤齐；多之则害于秦。臣意王之计欲少出师，而悉韩、魏之兵则不义矣。今见与国之不可亲，越人之国而攻，可乎？疏于计矣！昔者，齐人伐楚，战胜，破军杀将，再辟千里，肤寸之地无得者，岂齐不欲地哉？形弗能有也。诸侯见齐之罢露，君臣之不亲，举兵而伐之，主辱军破，为天下笑。所以然者，以其伐楚而肥韩、魏也。此所谓藉贼兵而赍盗食者也。王不如远交而近攻，得寸则王之寸，得尺亦王之尺也。今舍此而远攻，不亦缪乎？且昔者，中山之地，方五百里，赵独擅之，功成、名立、利附，则天下莫能害。今韩、魏，中国之处，而天下之枢也。王若欲霸，必亲中国而以为天下枢，以威楚、赵。赵强则楚附，楚强则赵附。楚、赵附则齐必惧，惧必卑辞重币以事秦；齐附而韩、魏可虚也。”

王曰：“寡人欲亲魏，魏多变之国也，寡人不能亲。请问亲魏奈何？”范睢曰：“卑辞重币以事之。不可，削地而赂之。不可，举兵而伐之。”于是举兵而攻邢丘[17]，邢丘拔而魏请附。

曰：“秦、韩之地形，相错如绣。秦之有韩，若木之有蠹（dù），人之病心腹。天下有变，为秦害者莫大于韩。王不如收韩。”王曰：“寡人欲收韩，不听，为之奈何？”

范睢曰：“举兵而攻荥（xíng）阳[18]，则成皋之路不通[19]；北斩太行之道，则上党之兵不下；一举而攻荥阳，则其国断而为三。魏、韩见必亡，焉得不听？韩听而霸事可成也。”王曰：“善。”

【注释】

①范睢：字叔，战国魏人。初为魏大夫须贾家臣，因事被诬为盗，后入

秦说昭王，任秦相，封为应侯。

②今者：据《史记·范雎列传》，当是"会"字之讹。义渠之事：义渠是西戎之国名。秦昭王时，义渠戎王与宣太后乱，生二子。宣太后诈而杀戎王于甘泉，遂起兵伐义渠。

③唯唯：应答声。指连声应答而不言语。

④跽：长跪。双膝着地，上身挺直，表示敬重。

⑤吕尚：即姜太公，姜姓，吕氏，名望，字子牙，号太公望。西周初年，辅佐文王、武王灭商，封于齐，为齐国始祖。

⑥君之："之"字，鲍本作"臣"。

⑦厉：通"癞"，疮肿。

⑧乌获：秦武王时的力士。

⑨奔、育：即孟奔、夏育，皆卫人，战国时勇士。

⑩伍子胥：姓伍，名员，字子胥，楚大夫伍奢之子。父兄被楚平王杀害，子胥奔吴，佐吴王阖闾伐楚，得报父兄之仇，后因劝吴王夫差拒绝越国求和而被赐死。昭关：楚关名，在今安徽含山西北。

⑪蓤水：即溧水。发源于安徽芜湖，流入江苏太湖。

⑫箕子：殷纣王叔父，谏纣不听，佯狂为奴。接舆：春秋楚人，隐者。

⑬甘泉：山名，在今陕西淳化西北。谷口：即寒门，为泾水出山之处，在

今陕西礼泉东北。
⑭陇:指陇西郡,治狄道(今甘肃临洮南)。
⑮关:指函谷关。阪:指崤山,山上有峻坡,故又称崤阪山。
⑯韩卢:韩国俊犬名。蹇兔:跛兔。
⑰邢丘:魏邑,在今河南温县东南。
⑱荥阳:韩邑,在今河南荥阳东北。
⑲成皋:韩邑,即春秋郑国之虎牢,在今河南荥阳汜水镇。

【译文】

范雎来到秦宫,秦王到大庭迎接,对范雎说:“我想亲自向你请教已经很久了。近来义渠国的事情紧急,我每天要亲自请示太后。现在义渠的事情已经处理完毕,我这才能亲自领教。我这人昏昧、迟钝,不够聪明,让我恭敬地施行宾主的礼节。”范雎推辞谦让。

这天,凡见到范雎的人,没有不改变面容而肃然起敬的。秦昭王让身边的人退下去,宫中没有其他人,秦昭王跪在座席上请教说:“先生用什么来指教我?”范雎说:“是,是。”过了一会儿,秦昭王又请指教,范雎还是说:“是,是。”一连三次都是这样。

秦昭王长跪在座席上说:“先生不肯指教我吗?”

范雎道歉说:“不敢这样。我听说当初吕尚遇见周文王的时候,他只是个渔夫,在渭水北岸钓鱼罢了。如果是这样,他们的关系是疏远的。没多久,文王听了他的一席话,就立他为太师,和他乘车一起回去,这是因为他们谈得很深刻的缘故。后来文王果然从吕尚身上收到了功效,最终取得了天下,自己立为帝王。假使文王疏远吕尚而不肯和他深谈,周朝就没有做天子的德行,而文王、武王也就没有人辅佐来成就帝王大业了。现在,我只是个寄居在秦国的宾客,和大王关系疏远，但我想说的又都是纠正君臣政务的问题，而且还会关涉到君王的骨肉之亲。我本来希望献出我的愚忠，但不了解大王的心意，这就是大王三次发问而我不回答的原因。我不是有什么畏惧而不敢说话，我知道今天在你面前把话说了，而明天可能接着被处死，但是我并不畏惧。只要大王能采纳我的意见，那么处死我也不值得我忧虑，流亡也不值得我忧愁，漆身生癞，披发装疯，也不会使我感到耻辱。五帝圣明终要死，三王仁义终要死，五霸贤能终要死，乌获有气力终要死，孟贲、夏育勇武终要死。死亡是人不可能避免的。处在一定不能避免的情况下，可以对秦国稍有补益，这是我最大的愿望，我还忧虑什么呢？伍子胥装在口袋里用车载出昭关，夜晚行走而白天躲藏，到达蔆水后，没有什么东西吃，跪地爬行，在吴国的街市上讨饭，最终使吴国复兴，使阖庐成为霸主。假使我能像伍子胥一样进献计谋，即使把我囚禁起来，终身不再见面，只要让我的主张得以施行，我还担心什么呢？箕子、接舆，用漆涂身而生癞，披头散发而装疯，对于殷、楚没有什么补益。假使我的行为与箕子、接舆相同，但对我认为贤明的君主有补益，这是我最大的荣幸，我又有什么耻辱呢？我所担心的是，只怕我死了以后，天下的人见我对大王尽忠而最终还是身死，因此闭口不言、裹足不前，没有人肯到秦国来罢了。大王对上害怕太后的威严，对下又被奸臣的伪行所迷惑；住在深宫里面，离不开保傅的照料；终身昏昧迷惑，没有人替你察知奸邪；大则国家灭亡，小则自身孤独危险。这才是我所最担心的啊！至于我穷困、受辱这样的事，死亡、流放的灾祸，我是不会害怕的。如果我死了而秦国能够大治，这比我活着都好。”

秦昭王长跪在座席上说：“先生这是说的什么话啊！秦国偏僻荒远，我愚昧无能，先生竟然有幸来到这里，这是上天让我烦扰先生，使先王的宗庙得以保存啊。我能够接受先生的教诲，这是上天同情先王而不抛弃他的遗孤啊。先生怎么能说这样的话呢！事情无论大小，上至太后，下到大臣，希望先生全都给以指教，不要对我有疑虑。”范雎对秦昭王拜了两拜，秦昭王也对他拜了两拜还礼。

范雎说：“大王的国家，北面有甘泉、谷口，南面环绕泾水和渭水，西面有陇西、蜀郡，东面有函谷关、崤山；又有战车千辆，雄兵百万。凭借秦国士兵的勇猛，车辆的众多，来抵挡诸侯各国，好比驱猛犬韩卢去追赶跛脚的兔子一样，成就霸王的功业是可以办到的。如今反而闭锁函谷关，不敢出兵窥探山东诸侯，这是穰侯替秦国谋划不忠诚，而大王的策略也有失误的地方。”

秦昭王说：“我愿意听听失误在什么地方。”

范雎说：“大王越过韩国、魏国去进攻强大的齐国，这是不适当的策略。少出兵，不能损伤齐国；多出兵，就会对秦国造成危害。我猜想大王的计谋是想让秦国少出兵，而让韩、魏两国全部出兵，这是不合适的。如今发现盟国不可信任，就越过他们的国境去攻打另一个国家，这可以吗？这是策略上的疏忽啊！从前，齐国攻打楚国，获得胜利，打败了楚军，杀死了楚将，又开辟了千里的土地，但最后连几寸土地也没得到，难道齐国不想得到土地吗？是疆界形势迫使他不能占有啊！诸侯看到齐国衰弱困乏，君臣之间又不和睦，于是发兵讨伐他，齐王受到侮辱，军队遭到失败，被天下人耻笑。造成这样的结局，是因为他去讨伐楚国却让韩、魏两国得到土地壮大起来。这就是所说的借武器给强盗、借粮食给小偷啊！大王不如结交远方的国家而进攻近处的国家，得到一寸土地就是大王的一寸土地，得到一尺土地就是大王的一尺土地。现在大王不用这样的策略而去攻打远处的国家，难道不是错误的吗？再说从前，中山国的土地方圆五百里，赵国独占了它，功业有成，声名树立，财利归附，天下没有谁能妨害它。现在韩国、魏国，处在中原地区，是天下的枢纽。大王要想成就霸业，一定要亲近中原国家并把它作为天下的枢纽，用来威胁楚国和赵国。赵国强大，楚国就会归附；楚国强大，那么赵国就会归附。楚国和赵国都归附，那齐国一定害怕，齐国害怕就会用谦卑的言辞和丰厚的礼物来奉承秦国。齐国归附了，韩国、魏国就可以攻灭了。”

秦昭王说：“我想亲近魏国，但魏国是个无常多变的国家，我无法亲近它。请问亲近魏国这事怎么办呢？”范雎说：“用谦卑的言辞、贵重的礼物去奉承它；不行的话，就割地送给它；再不行，就派兵攻打它。”于是，秦国派兵攻打邢丘，邢丘攻下后，魏国请求归附秦国。

范雎说：“秦国、韩国的地形，像锦绣一样互相交错。秦国旁边有个韩国，就像树木有蛀虫，人体有心病一样。天下如果有变故，给秦国构成危害的没有比韩国更大的了。大王不如收服韩国。”秦昭王说：“我想收服韩国，可韩国不听从，对它怎么办呢？”

范雎说：“发兵攻打荥阳，那么成皋的道路就不通了；北面截断太行山的隘道，那么上党地区的军队就不能南下了；一举攻下荥阳，那么韩国就会分割成三块。韩国看到自己要灭亡，怎么能不听从呢？韩国服从了，秦国的霸业就可以成功。”秦昭王说：“说得很好。”

濮阳人吕不韦贾于邯郸

【题解】

本文选自《秦策五》。

吕不韦在赵国都城邯郸经商，遇到在赵国做人质的秦公子异人，认为可以做一次政治买卖。本篇用叙事体，叙述了吕不韦帮助异人谋取君位，自己做丞相的经过，反映了当时统治阶级内部复杂、尖锐的矛盾斗争，也反映了贵族和大商人互相利用，谋取各自利益的情况。

【原文】

濮阳人吕不韦贾于邯郸[①]，见秦质子异人[②]，归而谓父曰："耕田之利几倍？"曰："十倍。""珠玉之赢几倍？"曰："百倍。""立国家之主赢几倍？"曰："无数。"曰："今力田疾作，不得暖衣余食；今建国立君，泽可以遗世。愿往事之。"

秦子异人质于赵，处于聊城。故往说之曰："子傒（xī）有承国之业[③]，又有母在中。今子无母于中，外托于不可知之国，一日倍约，身为粪士。今子听吾计事，求归，可以有秦国。吾为子使秦，必来请子。”

乃说秦王后弟阳泉君曰[4]：“君之罪至死，君知之乎？君之门下无不居高尊位，太子门下无贵者。君之府藏珍珠宝玉，君之骏马盈外厩，美女充后庭。王之春秋高，一日山陵崩[5]，太子用事，君危于累卵，而不寿于朝生[6]。说有可以一切而使君富贵千万岁，其宁于太山四维，必无危亡之患矣。”阳泉君避席，请闻其说。不韦曰：“王年高矣，王后无子，子傒有承国之业，士仓又辅之。王一日山陵崩，子傒立，士仓用事，王后之门，必生蓬蒿。子异人贤材也，弃在于赵，无母于内，引领西望，而愿一得归。王后诚请而立之，是子异人无国而有国，王后无子而有子也。”阳泉君曰：“然。”入说王后，王后乃请赵而归之。

赵未之遣，不韦说赵曰：“子异人，秦之宠子也，无母于中，王后欲取而子之。使秦而欲屠赵，不顾一子以留计，是抱空质也。若使子异人归而得立，赵厚送遣之，是不敢倍德畔施[7]，是自为德讲。秦王老矣，一日晏驾，虽有子异人，不足以结亲。”赵乃遣之。

异人至，不韦使楚服而见。王后悦其状，高其知，曰：“吾楚人也。”而自子之，乃变其名曰楚。王使子诵，子曰：“少弃捐在外，尝无师傅所教学，不习于诵。”王罢之，乃留止。间曰：“陛下尝轫车于赵矣[8]，赵之豪杰，得知名者不少。今大王反国，皆西面而望。大王无一介之使以存之，臣恐其皆有怨心。使边境早闭晚开。”王以为然，奇其计。王后劝立之。王乃召相，令之曰：“寡人子莫若楚。”立以为太子。

子楚立，以不韦为相，号曰文信侯，食蓝田十二县[9]。王后为华阳太后，诸侯皆致秦邑。

【注释】

①濮阳：今河南濮阳西南。吕不韦：战国末卫国人，早年为大商人，后助异人即位（为秦庄襄王），任为丞相，封文信侯。

②质子：古代两国交往，派往对方做人质的王子或宗室子弟。异人：即子楚，秦孝文王之子，秦昭王时在赵做人质，吕不韦助其即位，为秦庄襄王。

③子傒：秦太子，异人的异母兄弟。

④秦王后：秦孝文王后华阳夫人。阳泉君：华阳夫人之弟。

⑤山陵崩：比喻帝王死。

⑥朝生：朝生夕死之物，如木槿、蜉蝣之类。

⑦倍德畔施：忘恩负义。倍，同“背”。畔，同“叛”。施：恩惠。

⑧轫车于赵：在赵居留。秦孝文王曾质于赵的委婉语。轫车，止车。

⑨蓝田：县名，故城在今陕西蓝田西。

【译文】

濮阳人吕不韦在邯郸经商，见到秦国在赵国做人质的公子异人，回家后问他父亲说："种田的赢利是几倍？"他父亲回答说："十倍。"吕不韦又问："做珠玉买卖的赢利是几倍？"他父亲回答说："百倍。"他又问："立一个国家的国君赢利是几倍？"他父亲回答："无数倍。"他说："现在努力耕田，辛勤劳作，还是穿不暖，吃不饱；如果帮助国君即位，恩泽可以传给后代。我愿意去做这件事。"

秦国公子异人在赵国做人质，居住在聊城。吕不韦特意前去劝导他说："子傒有继承秦国君位的事业，又有他的母亲在宫廷里。现在你没有母亲在宫中，又身处国外托身在一个安危难测的赵国，一旦秦、赵两国撕毁盟约，你就是一堆粪土。现在你听从我的计谋，设法回到秦国去，就可以得到君位。我替你到秦国去活动，秦国一定会来请你。"

于是吕不韦到秦国去游说王后华阳夫人的弟弟阳泉君，说："你的罪过该杀头了，你知道吗？你的门下没有不是官居高位的，可是太子门下却没有显贵的人。你的仓库里藏着珍珠宝玉，你外面的马棚养满了骏马，美女住满了后院。君王年纪已经很大了，一旦去世，太子执政，你就会危如累卵，性命像朝生暮死的东西一样。有一个权宜之计，可以使你富贵千万年，比支撑泰山的四角还要稳固，一定没有危亡的忧虑了。"阳泉君离开了座位，请求听吕不韦的主意。吕不韦说："君王年事已很高了，王后没有儿子，子傒有继承秦国君位的事业，士仓又辅佐他。君王一旦去世，子傒继承王位，士仓执政，王后的门庭，一定会冷落得长蓬蒿了。公子异人是个贤能的人才，被遗弃在赵国，没有母亲在宫廷里帮助他，他每天翘首西望，希望有朝一日能够回国。如果王后能够请求秦王立他为太子，这样一来，王子异人本来不能继承王位而就能继承王位了，王后本来没有儿子也就有儿子了。"阳泉君说："对。"于是进宫劝说王后，王后就请求赵国让异人回秦国来。

赵国没有遣送异人回国，吕不韦就去劝赵王说："王子异人是秦王宠爱的公子，他的生母不在宫中，王后想接他回去做自己的儿子。假使秦国真想攻灭赵国，就不会顾惜一个做人质的儿子而推迟攻赵的计划，这样，赵国只是抓着一个没有作用的人质。如果让公子异人回国并能够立为太子，赵国用厚礼送他回去，他是不敢忘恩负义的，这是赵国用自己的恩德与秦国讲和。秦王已经老了，一旦去世，即使赵国掌握着公子异人，也不能与秦国结好。”于是，赵国就把异人遣送回国。

异人到了秦国，吕不韦让他穿上楚国服装去拜见王后。王后很喜欢他的装束，夸奖他聪明，说：“我本是楚人啊。”就把异人认作自己的儿子，并给他改名叫子楚。秦王让子楚诵读学过的书，子楚说：“我小时候就被抛弃在国外，不曾有老师教我学过，所以不会诵读。”秦王就不叫他诵读了，把他留在宫中居住。异人趁秦王空闲时说：“陛下当初也曾经在赵国停留过，赵国的豪杰，你能知道名字的不少。现在大王回国了，他们都向着西方遥望。可是大王并没有派出一个使者去慰问他们，我担心他们对大王有怨恨之心。还是让边境关口早闭晚开为好。”秦王认为他说得对，对他的谋划感到惊奇。王后鼓励秦王立异人为太子。秦王就把相国召来，对他下令说：“我的儿子中没有能比得上子楚的。”于是就把子楚立为太子。

后来，子楚即位，任命吕不韦为丞相，封号叫文信侯，拿蓝田等十二县的贡赋作为他的食禄。王后被尊为华阳太后，诸侯都向太后进献奉养地。

文信侯欲攻赵以广河间

【题解】

本文选自《秦策五》。内容又见《史记·甘茂列传》。

甘罗是历史上被传为神童的人物。他十二岁为吕不韦家臣，说服张唐相燕，并出使赵国，取得成功，拜为上卿。他善于分析形势，把握人们心理，利用利害关系说服对方。文中所记甘罗的故事，与史事不合，盖为策士拟托之作。

【原文】

文信侯欲攻赵以广河间①，使刚成君蔡泽事燕三年②，而燕太子质于秦③。文信侯因请张唐相燕④，欲与燕共伐赵，以广河间之地⑤。张唐辞曰："燕者必径于赵，赵人得唐者，受百里之地。"文信侯去而不快。少庶子甘罗曰⑥："君侯何不快甚也？"文信侯曰："吾令刚成君蔡泽事燕三年，而燕太子已入质矣。今吾自请张卿相燕，而不肯行。"甘罗曰："臣行之。"文信侯叱去曰："我自行之而不肯，汝安能行之也？"甘罗曰："夫项橐生七岁而为孔子师⑦，今臣生十二岁于兹矣！君其试臣，奚以遽言叱也？"

甘罗见张唐曰："卿之功，孰与武安君⑧？"唐曰："武安君战胜攻取，不知其数；攻城堕邑⑨，不知其数。臣之功不如武安君也。”甘罗曰：“卿明知功之不如武安君欤？”曰：“知之。”“应侯之用秦也，孰与文信侯专？”曰：“应侯不如文信侯专。”曰：“卿明知为不如文信侯专欤？”曰：“知之。”甘罗曰：“应侯欲伐赵，武安君难之，去咸阳七里[10]，绞而杀之。今文信侯自请卿相燕，而卿不肯行，臣不知卿所死之处矣！”唐曰：“请因孺子而行！”令库具车，厩具马，府具币，行有日矣。甘罗谓文信侯曰：“借臣车五乘，请为张唐先报赵。”

见赵王[11]，赵王郊迎。谓赵王曰：“闻燕太子丹之入秦与？”曰：“闻之。”“闻张唐之相燕与？”曰：“闻之。”“燕太子入秦者，燕不欺秦也。张唐相燕者，秦不欺燕也。秦、燕不相欺，则伐赵，危矣。燕、秦所以不相欺者，无异故，欲攻赵而广河间也。今王赍臣五城以广河间，请归燕太子，与强赵攻弱燕。”赵王立割五城以广河间，归燕太子。赵攻燕，得上谷三十六县[12]，与秦什一。

【注释】

①河间:郡名,在赵国东北部,今河北河间一带。

②蔡泽:燕国人,曾为秦相,封刚成君。

③燕太子:即燕太子丹,燕王喜之子,先后在赵、秦做人质,后逃归,使荆轲刺秦王,未遂。

④张唐:秦臣,昭王时为将军,曾率军攻魏、赵。

⑤欲与燕共伐赵,以广河间之地:鲍本无此十二字。黄丕烈以为是据《史记》添入。译文不译。

⑥少庶子:官名,战国时各国封君的近侍之臣。甘罗:甘茂之孙,十二岁做吕不韦家臣,因使赵功拜为上卿。

⑦项橐:春秋时人,相传他七岁穷难孔子,是传说中的神童。

⑧武安君:即白起,秦名将,官至大良造,因战功封为武安君。

⑨堕:同"隳",毁坏,指攻陷。

⑩咸阳:秦国都城,在今陕西咸阳东北。

⑪赵王:赵悼襄王,名偃,赵孝成王之子。

⑫上谷:燕郡,在今河北宣化、涿鹿一带。

【译文】

文信侯想攻打赵国以扩大河间的封地,就派刚成君蔡泽到燕国为臣,过了三年,燕国太子丹到秦国做人质。文信侯于是请张唐到燕国做相。张唐推辞说:"到燕国去,一定要经过赵国,赵王许诺抓住张唐的,赏他一百里的封地。"文信侯离开了,但心里很不愉快。少庶子甘罗说:"君侯怎么这样不愉快?"文信侯说:"我派刚成君蔡泽到燕国为臣,过了三年,燕太子丹已经来我国做人质了。今天我亲自请张唐到燕国做相,他竟然不肯去。"甘罗说:"我能让他去。"文信侯呵斥他离开,说："我亲自请他，他都不肯去，你怎么能让他去呢？"甘罗说："项橐七岁就能做孔子的老师，如今我可是已经十二岁了啊！你让我试试吧，为什么马上呵斥我呢？"

甘罗去见张唐，问他说："你的功劳，与武安君比哪个大？"张唐说："武安君打的胜仗，不知有多少；攻下的城池，不知有多少。我的功劳不如武安君。"甘罗说："你确实知道自己的功劳不如武安君吗？"张唐说："确实知道。"甘罗又问："应侯范雎在秦国受重用的时候，与文信侯比哪个专制？"张唐说："应侯不如文信侯专制。"甘罗说："你确实知道应侯不如文信侯专制吗？"张唐说："确实知道。"甘罗说："当年应侯想攻打赵国，武安君责难他，应侯在离咸阳七里的地方，把武安君绞死了。如今文信侯亲自请你到燕国做相，而你不肯去，我不知道你会死在什么地方了！"张唐说："请让我通过你请示文信侯让我去吧！"于是吩咐车库准备车辆，马厩准备马匹，仓库准备礼物，确定了出行的日期。甘罗对文信侯说："借给我五辆车，请让我到赵国替张唐先通报一声。"

甘罗去见赵王，赵王到郊外迎接。甘罗对赵王说："听说燕太子丹到秦国做人质的事了吗？"赵王说："听说这事了。"甘罗说："听说张唐要去燕国做相的事了吗？"赵王说："听说这事了。"甘罗说："燕太子丹到秦国做人质，表明燕国不欺骗秦国。张唐去燕国做相，表明秦国不欺骗燕国。秦、燕两国互不欺骗，就要联合起来攻打赵国，赵国很危险了。燕、秦两国所以表明不互相欺骗，没有别的缘故，只是想攻打赵国来扩大河间的土地。现在大王如送给我五座城邑来扩大河间的土地，我就请秦王让燕太子丹回国，并与强大的赵国一同攻打燕国。"赵王立即割让五座城邑来扩大河间的土地，秦国也让燕太子丹回国了。赵国攻打燕国，夺取了上谷地区三十六个县，送给了秦国十分之一。

靖郭君将城薛

【题解】

本文选自《齐策一》。内容又见《韩非子·说林下》《淮南子·人间训》《新序·杂事二》。

靖郭君田婴要在薛地筑城墙，门客劝谏不听。有一个齐人先言之以奇词，引起田婴好奇，冲开拒谏的防线，再晓之以大义，用鱼和水作比喻，说明他和齐国的关系，达到了劝谏的目的。

【原文】

靖郭君将城薛①，客多以谏。靖郭君谓谒者②，无为客通。齐人有请者曰："臣请三言而已矣③！益一言，臣请烹。"靖郭君因见之。客趋而进曰："海大鱼。"因反走。君曰："客有于此。"客曰："鄙臣不敢以死为戏。"君曰："亡④，更言之。"对曰："君不闻大鱼乎？网不能止，钩

不能牵，荡而失水，则蝼蚁得意焉。今夫齐，亦君之水也。君长有齐阴，奚以薛为？夫齐[5]，虽隆薛之城到于天，犹之无益也。”君曰：“善。”乃辍城薛。

【注释】

①靖郭君：即田婴，齐威王少子，孟尝君之父，曾任齐相，封于薛，号靖郭君。

②谒者：负责接待来客向主人通报的人。

③三言：三个字。

④亡：同“无”，即否。

⑤夫：据前人考证，当为“失”字之讹。

【译文】

靖郭君要在薛地修筑城墙，他的门客大都为这事劝阻他。靖郭君对负责通报的人吩咐说：“不要给要求见我的门客通报。”有个请求接见的齐国人说：“我请求说三个字就完了！要是多说一个字，就请把我下锅煮死。”靖郭君于是接见了他。这个客人快步走向前说：“海大鱼。”接着转身就跑。靖郭君说：“请留在这里把话说明白。”客人说：“我不敢拿死当儿戏。”靖郭君说：“不，你再说下去。”客人回答说：“你没听说过海大鱼的事吗？鱼网不能逮住它，鱼钩不能钩住它，如果游荡中离开了海水，那么蝼蛄和蚂蚁都能对它任意吞食。现在的齐国，就是你的海水啊。你长期有齐国的庇护，还用筑薛城干什么？如果失去了齐国，即使把薛地的城墙修得天一般高，也还是没用的。”靖郭君说：“好。”于是停止在薛地修筑城墙。

邹忌修八尺有余

【题解】

本文选自《齐策一》。

本文记述了齐相邹忌劝告齐王广泛听取全国臣民的意见，改进政治的故事。作者围绕邹忌与徐公比美，写了他与妻、妾、客的问答，对徐公的观察比较，对生活经验的分析总结，从而引申出对齐王劝谏的说辞。由于邹忌的劝说具有启发性和说服力，使齐王立即领悟，并采取了具体措施，收到了富国强兵的政治效果。

本文是依托之作，但故事脍炙人口。作者寓理于事，因小见大，说理浅显，发人深思。

【原文】

邹忌修八尺有余[1]，身体昳(yì)丽。朝服衣冠窥镜，谓其妻曰："我孰与城北徐公美[2]？"其

妻曰:“君美甚,徐公何能及公也!”城北徐公,齐国之美丽者也。忌不自信,而复问其妾曰:“吾孰与徐公美?”妾曰:“徐公何能及君也!”旦日,客从外来,与坐谈,问之客曰:“吾与徐公孰美?”客曰:“徐公不若君之美也!”

明日,徐公来。孰视之[③],自以为不如;窥镜而自视,又弗如远甚。暮,寝而思之曰:“吾妻之美我者[④],私我也;妾之美我者,畏我也;客之美我者,欲有求于我也。”

于是入朝见威王曰[⑤]:“臣诚知不如徐公美,臣之妻私臣,臣之妾畏臣,臣之客欲有求于臣,皆以美于徐公。今齐地方千里,百二十城,宫妇左右,莫不私王;朝廷之臣,莫不畏王。四境之内,莫不有求于王。由此观之,王之蔽甚矣!”王曰:“善。”乃下令:“群臣吏民,能面刺寡人之过者[⑥],受上赏;上书谏寡人者,受中赏;能谤议于市朝,闻寡人之耳者,受下赏。”

令初下,群臣进谏,门庭若市。数月之后,时时而间进。期年之后,虽欲言,无可进者。燕、赵、韩、魏闻之,皆朝于齐。此所谓战胜于朝廷。

【注释】

①邹忌:齐人,齐威王时为相,封于成,号成侯。修:长,指身高。八尺:周尺,约合今市尺五尺三寸。

②徐公:《十二国史》作“徐君平”。
③孰视:仔细看。孰,同“熟”。
④美我:认为我漂亮。
⑤威王:齐威王,姓田名齐,前 356 ~ 前 320 年在位。
⑥面刺:当面指责。

【译文】

邹忌身高八尺多,容貌光艳漂亮。早晨,他穿上衣服,戴上帽子,对着镜子端详自己,问他的妻子:“我同城北徐公相比,谁漂亮?”他的妻子说:“你漂亮得很,徐公怎么能赶上你呢!”城北徐公,是齐国有名的美男子。邹忌不相信自己比徐公漂亮,又问他的妾说:“我同徐公相比,谁漂亮?”他的妾说:“徐公怎么能赶得上你呢!”白天,一个客人从外面来,邹忌坐下同他谈话,问客人说:“我同徐公相比,谁漂亮?”

客人说："徐公不如你漂亮！"

第二天，徐公来了，邹忌仔细端详他，认为自己不如徐公漂亮；对着镜子看看自己，又觉得比徐公相差很远。晚上，睡下后思考这件事，说："我的妻子认为我漂亮，是她偏爱我；我的妾认为我漂亮，是她害怕我；客人认为我漂亮，是他对我有所求啊。"

于是邹忌上朝去见齐威王，说："我确实知道自己不如徐公漂亮。我的妻子偏爱我，我的妾害怕我，我的客人对我有所求，所以都说我比徐公漂亮。如今齐国土地方圆千里，有一百二十座城，宫中的后妃和近臣，没有一个不偏爱大王的；朝廷的大臣，没有一个不害怕大王的；全国的百姓，没有一个不想求助于大王的。由此看来，大王所受的蒙蔽是很深的。"齐威王说："说得好。"于是发布命令："所有朝廷大臣、地方官吏和全国百姓，能当面指责我的过错的，给予上等奖赏；能上奏章劝诫我的，给予中等奖赏；能在公共场所批评我的，给予下等奖赏。"

命令刚发布的时候，朝廷大臣都来进言，宫廷门前就像市场一样；几个月以后，断断续续有来进言的。一年以后，即使想要进言，也没什么可说的了。燕、赵、韩、魏等国听说了这件事，都来齐国朝见。这就是人们所说的在朝廷上战胜了敌国。

昭阳为楚伐魏

【题解】

本文选自《齐策二》。内容又见《史记·楚世家》。

战国时期，策士们在议论中常插入寓言故事，以便生动地阐述深刻的道理。陈轸作为齐威王的使者，为了劝说楚将昭阳放弃攻打齐国的计划，抓住昭阳患得患失的心理，巧妙地运用“画蛇添足”的寓言故事，形象地说明昭阳再去攻打齐国是多此一举。昭阳认识到攻齐对自己无任何好处，只好退兵。

【原文】

昭阳为楚伐魏[1]，覆军杀将得八城，移兵而攻齐。陈轸为齐王使，见昭阳，再拜贺战胜，起而问：“楚之法，覆军杀将，其官爵何也？”昭阳曰：“官为上柱国，爵为上执圭。”陈轸曰：“异贵于此者何也？”曰：“唯令尹耳[2]。”陈轸曰：“令尹贵矣！王非置两令尹也，臣窃为公譬可也。楚有祠者，赐其舍人卮酒[3]。舍人相谓曰：‘数人饮之不足，一人饮之有余。请画地为蛇，先成者饮酒。’一人蛇先成，引酒且饮之，乃左手持卮，右手画蛇，曰：‘吾能为之足。’未成，一人之蛇成，夺其卮曰：‘蛇固无足，子安能为之足。’遂饮其酒。为蛇足者，终亡其酒。今君相楚而

攻魏，破军杀将得八城，又移兵，欲攻齐，齐畏公甚，公以是为名居足矣，官之上非可重也。战无不胜而不知止者，身且死，爵且后归，犹为蛇足也。”昭阳以为然，解军而去。

【注释】

①昭阳：楚怀王之将。

②令尹：楚国最高行政长官，相当于其他诸侯国的相国。

③舍人：左右亲近的人。卮：盛酒的器皿。

【译文】

昭阳率楚军讨伐魏国，打败魏军，杀死魏将，夺取八座城池，接着又调动军队攻打齐国。陈轸作为齐王的使者，去见昭阳，拜了两拜后祝贺伐魏战争胜利，起身问昭阳：“按照楚国的法律，打败敌军，杀死敌将，能得到什么官职、爵位？”昭阳说：“官职是上柱国，爵位是上执圭。”陈轸说：“比这更尊贵的官爵是什么呢？”昭阳回答：“只有令尹了。”陈轸说：“令尹最尊贵了，楚王是不会设置两个令尹的。我为你打个比方，可以吗？楚国有个举行祭祀的人，赏给他左右亲近的人一杯酒。这些人商量说：‘几个人喝这杯酒不够，一个人喝它又有剩余。让我们每个人在地上画一条蛇，先画成的喝酒。’有一个人先把蛇画好了，拿起酒准备喝，于是他左手拿着酒，右手继续画着蛇，说：‘我能给它画上脚。’蛇脚还没画完，另一个人把蛇画好了，夺过他的酒杯，说：‘蛇本来没有脚，你怎么能给它画上脚呢？’于是就把这杯酒喝了。给蛇画脚的人，最终没有喝到酒。现在你辅佐楚国攻打魏国，打败敌军，杀死敌将，得到八座城池，又要调兵攻打齐国，齐国很害怕你。你因此得到了威名，这就足够了。你的官位也不可能再增加了。每次打仗都取得胜利而不知道适可而止的人，自己将在战争中丧命，爵位也会归于后人，这好比给蛇画脚一样。”昭阳认为陈轸的话说得对，就把军队撤走了。

孟尝君将入秦

【题解】

本文选自《齐策三》。内容又见《史记·孟尝君列传》《说苑·正谏》。

孟尝君将入秦，并拒绝劝告。苏秦用泥人和桃木人的对话，形象地说明孟尝君入秦的危害，说服了孟尝君。

【原文】

孟尝君将入秦[①]，止者千数而弗听。苏秦欲止之，孟尝君曰："人事者，吾已尽知之矣；吾所未闻者，独鬼事耳。"苏秦曰："臣之来也，固不敢言人事也。固且以鬼事见君。"

孟尝君见之。谓孟尝君曰："今者臣来，过于淄上[②]，有土偶人与桃梗相与语[③]。桃梗谓土偶人曰：'子，西岸之土也，挺子以为人[④]，至岁八月，降雨下，淄水至，则汝残矣。'土偶曰：'不然。吾西岸之土也，土则复西岸耳。今子，东国之桃梗也，刻削子以为人，降雨下，淄水至，流子而去，则子漂漂者将何如耳。'今秦四塞之国，譬若虎口，而君入之，则臣不知君所出矣。”孟尝君乃止。

【注释】

①孟尝君：田文，曾为齐相，袭其父田婴的封爵，封于薛(今山东滕州东南)，号孟尝君。

②淄上：淄水之滨。淄：水名，在今山东境内。

③土偶人：用土捏成的人像。桃梗：用桃木刻成的人像。

④挺：当作“埏”，揉和，抟。

【译文】

孟尝君要到秦国去，劝阻他的有上千人，然而他一概不听。苏秦也想要劝阻他，孟尝君说：“人世间的事我已经全知道了；我所没有听说的，只有鬼的事情罢了。”苏秦说：“我这次来，不是要讲什么人世间的事，而是打算和您谈谈鬼神的事。”

于是孟尝君接见了他。苏秦对孟尝君说：“我这次来，经过淄水之滨，见到一个泥人和一个桃木人在一起谈话。桃木人对泥人说：‘你是西岸上的泥土，被捏成个人样，到了八月，天下大雨，淄水涨到这里，那你就被冲毁了。’泥人说：‘不对。我是西岸上的土，我被冲毁了，又回到西岸上罢了。可如今你呢，原是东方的一根桃梗，把你雕刻成一个人样，天下大雨，淄水涨到这里，就把你冲走了，那你在水里漂来漂去，还不知要漂到哪里去了呢。’现在秦国是一个四面都有关山要塞的国家，就像虎口一样，而你却要进去，我就不知道你怎么出来了。”于是孟尝君就留了下来。

齐欲伐魏

【题解】

本文选自《齐策三》。

淳于髡用疾犬追狡兔、田父得利的寓言，来劝阻齐王伐魏，达到了预期的目的。此寓言与“鹬蚌相争，渔父得利”的故事，有异曲同工之妙。

【原文】

齐欲伐魏。淳于髡谓齐王曰[①]：“韩子卢者[②]，天下之疾犬也。东郭逡者[③]，海内之狡兔也。韩子卢逐东郭逡，环山者三，腾山者五，兔极于前，犬废于后，犬兔俱罢，各死其处。田父见而获之，无劳倦之苦，而擅其功。今齐、魏久相持，以顿其兵，弊其众，臣恐强秦、大楚承其后，有田父之功。”齐王惧，谢将休士也。

【注释】

①淳于髡：齐人，稷下学士，博学多才，滑稽多辩，善于劝谏，为齐宣王所重用。齐王：齐宣王，名辟疆，威王之子，前319～前301年在位。

②韩子卢：疾犬名，韩国出产的一种黑犬。

③东郭逡：齐国良兔。

【译文】

齐国想攻打魏国。淳于髡对齐王说："韩子卢是天下跑得最快的猎犬，东郭逡是海内最强健的兔子。韩子卢追东郭逡，绕山追了三圈，翻越山头五次，兔子在前边把力量用尽跑不动了，猎犬在后边过于疲倦而停止追赶了；猎犬和兔子都精疲力竭，各自死在自己跑到的地方。有个农夫见到了它们，没有受一点儿疲乏困倦的劳苦，就独占了这一成果。现在齐、魏两国长期相持不下，使双方的士兵很困倦，人民也很劳累，我担心强大的秦国和楚国会跟在后面，像那个农夫一样占有现成的成果。"齐王听了很恐惧，就遣散了将军，让士兵休息，不打魏国了。

齐人有冯谖者

【题解】

本文选自《齐策四》。写冯谖为孟尝君巩固权位的故事。《史记·孟尝君列传》所载与此有异。

孟尝君是战国四公子之一，门下食客数千。策士冯谖是孟尝君门下食客，他胸怀大志，有才干，但不炫耀自己，所以在最初一度受到冷遇。他以“弹铗而歌”的特殊方式来表达自己的要求，受到门客的讥笑，但孟尝君却很厚待他。后来，冯谖在为孟尝君到薛地收债的过程中显示出高明的政治手腕，并在孟尝君尚不理解的情况下为之营造“三窟”，巩固了孟尝君的政治地位，表现出他的远见。

本文表现了策士在当时政治生活中的重要作用。对冯谖的刻画形象生动，情节安排巧妙，波澜起伏，跌宕多姿。

【原文】

齐人有冯谖者，贫乏不能自存，使人属孟尝君，愿寄食门下。孟尝君曰："客何好？"曰："客无好也。"曰："客何能？"曰："客无能也。"孟尝君笑而受之曰："诺。"左右以君贱之也，食以草具[①]。

居有顷，依柱弹其剑，歌曰："长铗归来乎[②]！食无鱼。"左右以告。孟尝君说："食之，比门下之客。"居有顷，复弹其铗，歌曰："长铗归来乎！出无车。"左右皆笑之，以告。孟尝君曰："为之驾，比门下之车客。"于是乘其车，揭其剑，过其友曰："孟尝君客我。"后有顷，复弹其剑铗，歌曰："长铗归来乎！无以为家。"左右皆恶之，以为贪而不知足。孟尝君问："冯公有亲乎？"对曰："有老母。"孟尝君使人给其食用，无使乏。于是冯谖不复歌。

后孟尝君出记[③]，问门下诸客："谁习计会，能为文收责于薛者乎[④]？"冯谖署曰："能。"孟尝君怪之，曰："此谁也？"左右曰："乃歌夫长铗归来者也。"孟尝君笑曰："客果有能也，吾负之，未尝见也。"请而见之，谢曰："文倦于事，愦于忧[⑤]，而性懦愚[⑥]，沉于国家之事，开罪于先生。先生不羞，乃有意欲为收责于薛乎？"冯谖曰："愿之。"于是约车治装，载券契而行[⑦]，辞曰："责毕收，以何市而反？"孟尝君曰："视吾家所寡有者。”

驱而之薛，使吏召诸民当偿者，悉来合券。券遍合，起矫命以责赐诸民[8]，因烧其券，民称万岁。

长驱到齐，晨而求见。孟尝君怪其疾也，衣冠而见之，曰：“责毕收乎？来何疾也！”曰：“收毕矣。”“以何市而反？”冯谖曰：“君云‘视吾家所寡有者’。臣窃计，君宫中积珍宝，狗马实外厩，美人充下陈[9]。君家所寡有者以义耳！窃以为君市义。”孟尝君曰：“市义奈何？”曰：“今君有区区之薛，不拊爱子其民，因而贾利之。臣窃矫君命，以责赐诸民，因烧其券，民称万岁。乃臣所以为君市义也。”孟尝君不说[10]，曰：“诺，先生休矣！”

后期年，齐王谓孟尝君曰[11]：“寡人不敢以先王之臣为臣。”孟尝君就国于薛，未至百里，民扶老携幼，迎君道中。孟尝君顾谓冯谖：“先生所为文市义者，乃今日见之。”冯谖曰：“狡兔有三窟，仅得免其死耳。今君有一窟，未得高枕而卧也。请为君复凿二窟。”孟尝君予车五十乘，金五百斤，西游于梁，谓惠王曰：“齐放其大臣孟尝君于诸侯，诸侯先迎之者，富而兵强。”于是，梁王虚上位，以故相为上将军，遣使者，黄金千金、车百乘，往聘孟尝君。冯谖先驱，诫孟尝君曰：“千金，重币也；百乘，显使也。齐其闻之矣！”梁使三反，孟尝君固辞不往也。齐王闻之，君臣恐惧，遣太傅赍黄金千斤，文车二驷，服剑一[12]，封书，谢孟尝君曰："寡人不祥，被于宗庙之祟，沉于谄谀之臣，开罪于君，寡人不足为也。愿君顾先王之宗庙，姑反国统万人乎？”冯谖诫孟尝君曰："愿请先王之祭器，立宗庙于薛。”庙成，还报孟尝君曰："三窟已就，君姑高枕为乐矣。”

孟尝君为相数十年，无纤介之祸者，冯谖之计也。

【注释】

①食：给……吃。草具：粗劣的饭食。

②铗：剑把。来：句中语气词。

③记：文告。

④责：同“债”。薛：在今山东滕州南，孟尝君封地。

⑤愦于忧：被忧愁的事搅得心烦意乱。愦：昏乱。

⑥懦愚：懦弱愚蠢。

⑦券契：契约合同。古代的券常分为两半，借贷双方各执其一，作为凭证。

⑧矫命：假传命令。矫：假托。

⑨下陈：殿堂下陈放礼品、站列婢妾的地方。陈：堂下至院门的甬道。

⑩说：同“悦”，高兴。

⑪齐王：齐闵王。

⑫服剑：用来佩戴的剑。

【译文】

齐国有个叫冯谖的人，贫穷得不能养活自己，托人请求孟尝君，希望投靠在他门下做个食客。孟尝君问："那个客人有什么爱好？"受托的人回答说："没有什么爱好。"孟尝君又问："那个客人有什么才能？"受托的人回答说："没有什么才能。"孟尝君笑了笑接受了请求，说："好吧。"孟尝君身边亲近的人因为孟尝君瞧不起他，就给他吃粗劣的食物。

过了不久，冯谖靠着柱子，弹着他的佩剑，唱道："长剑啊，咱们回去吧！吃饭没有鱼。"孟尝君身边亲近的人把这件事报告给孟尝君。孟尝君说："给他鱼吃，比照门下一般食客的待遇。"又过了不久，冯谖又弹着他的佩剑，唱道："长剑啊，咱们回去吧！出门没有车。"孟尝君身边亲近的人都讥笑他，又把这件事报告了孟尝君。孟尝君说："给他准备车马，比照门下乘车门客的待遇。"于是冯谖坐着他的车子，举着他的佩剑，去拜访他的朋友，说："孟尝君把我当上客看待了。"后来又过了不久，冯谖又弹着他的佩剑，唱道："长剑啊，咱们回去吧！没有什么东西用来养家。"孟尝君身边亲近的人都厌恶他，认为他贪心不知足。孟尝君问："冯公有父母吗？"身边亲近的人回答："有个老母亲。"孟尝君就派人供给他母亲吃用，不使她短缺什么。于是冯谖才不再弹剑唱歌了。

后来，孟尝君发布文告，询问门下食客："有谁熟悉会计，能替我到薛地去收债的吗？"冯谖在文告上签名，说："能。"孟尝君觉得这个人奇怪，问："这人是谁呀？"身边的人说："就是那个唱'长剑啊，咱们回去吧'的人。"孟尝君笑着说："这个门客果然是有才能，我亏待了他，还不曾见过他。"于是把冯谖请来见面，向他道歉说："我被国事弄得很疲劳，被忧愁的事搅得心烦意乱，生性又懦弱愚昧，陷在国事家事中，对先生多有得罪。先生不以为耻辱，竟有意要替我到薛地去收债吗？"

冯谖说："愿意去收债。"于是准备车马，收拾行装，装载着契约准备上路，向孟尝君辞行时问道："债收齐后，买些什么东西回来？"孟尝君说："看我家里所缺少的买吧。"

冯谖驱车到了薛城，让地方官召集那些该还债的百姓，都来核对债券。债券全部核对后，冯谖站起来，假托孟尝君的命令，把该收的债款全部赏赐给百姓，然后烧掉了那些债券，百姓高呼万岁。

事后，冯谖驾车直奔齐都，第二天清晨就求见孟尝君。孟尝君对他回来得这么快感到奇怪，穿戴好就接见他，问："债全收了吗？怎么回来得这么快啊？"冯谖回答："债全收了。"孟尝君又问："用债款买了些什么回来？"冯谖说："你说'看我家所缺少的买'。我考虑后发现，你的宫中积聚着珍珠宝玉，外面畜栏里养满了良犬骏马，美女站满了堂下。你家所缺少的就是'义'罢了！所以我私下用债款替你买了'义'。"孟尝君说："买'义'是怎么回事？"冯谖说："现在你只有小小的一块薛地，却不能像对待自己的子女一样安抚、爱护那里的百姓，还趁着放债用商人的手段向他们牟利。我私下假托你的命令，把债款赏赐给了百姓，接着又烧掉了他们的债券，百姓高呼万岁。这就是我替你买'义'的做法。"孟尝君不高兴，说："哦，你去歇着吧！"

过了一年，齐闵王即位，对孟尝君说："我不敢把先王的臣子作为自己的臣子。"孟尝君只得到自己的封地薛城去，离薛城还有一百里，老百姓就扶老携幼，在道上迎接孟尝君。孟尝君回头对冯谖说："先生替我买的'义'，今天才见到。"冯谖说："狡猾的兔子有三个窝，只能免其一死罢了。现在你只有一个窝，是不能高枕无忧安然而卧的。请让我再为你开凿两个窝。"孟尝君给他五十辆车，五百斤黄金，到西边的大梁去游说，对梁惠王说："齐国把他的大臣孟尝君放逐到国外去，诸侯先迎到他的，就能国富而兵强。"于是梁惠王把最高的相位空出来，把原来的相调任上将军，派遣使者，携带黄金一千斤，车子一百辆，前去聘请孟尝君。冯谖先驱车赶回，告诫孟尝君说：“千斤黄金是很重的礼品，车子百辆是很显赫的使者。齐国大概听到这件事了。”梁国使者往返三次，孟尝君都坚决推辞不肯前往。齐王听到这个消息，国君、大臣都害怕，就派太傅携带黄金一千斤，四匹马拉的有文饰的车子两辆，佩剑一把，并封好一封信，向孟尝君道歉说：“我感觉很不好，遭到祖宗降下的灾祸，又被好进谗言、喜欢奉承的大臣所迷惑，得罪了先生，我是不值得你辅佐的。希望你顾念先王的宗庙，姑且回到齐国来治理百姓吧！”冯谖告诫孟尝君说：“希望你请求一些先王的祭器，在薛城也建立宗庙。”宗庙在薛城建成后，冯谖回来报告孟尝君说：“三个窝已经凿好，你姑且可以高枕无忧、享受快乐了。”

孟尝君做国相几十年，没有遭受丝毫祸患，这都得益于冯谖的计谋啊。

齐宣王见颜斶

【题解】

本文选自《齐策四》。记述颜斶同齐宣王关于士贵、王贵问题的辩论。

在一般人眼里，“王者贵”是天经地义的。但是，布衣之士颜斶却敢于蔑视王权，他在国家最高统治者面前，针锋相对地指出：“士贵，王者不贵。”并列举历史上大量事实，说明士对国家兴亡的重要性，指出当政者必须礼贤下士。

【原文】

齐宣王见颜斶(chù)[①]，曰：“斶前！”斶亦曰：“王前！”宣王不悦。左右曰：“王，人君也。斶，人臣也。王曰‘斶前’，亦曰‘王前’[②]，可乎？”斶对曰：“夫斶前为慕势，王前为趋士。与使斶为慕势，不如使王为趋士。”王忿然作色曰：“王者贵乎？士贵乎？”对曰：“士贵耳，王者不贵。”王曰：“有说乎？”斶曰：“有。昔者秦攻齐，令曰：‘有敢去柳下季垄五十步而樵采者[③]，死不赦。’令曰：‘有能得齐王头者，封万户侯，赐金千镒。’由是观之，生王之头，曾不若死士之垄也。”宣王默然不悦。

左右皆曰：“斶来，斶来！大王据千乘之地，而建千石钟、万石虡(jù)[④]。天下之士，仁义皆来役处；辩知并进，莫不来语；东西南北，莫敢不服。求万物无不备具[5]，而百姓无不亲附。今夫士之高者，乃称匹夫，徒步而处农亩，下则鄙野、监门、闾里，士之贱也，亦甚矣！”

斶对曰：“不然。斶闻古大禹之时，诸侯万国。何则？德厚之道，得贵士之力也。故舜起农亩，出于鄙野，而为天子。及汤之时，诸侯三千。当今之世，南面称寡者，乃二十四。由此观之，非得失之策与？稍稍诛灭，灭亡无族之时，欲为监门、闾里，安可得而有乎哉？是故《易传》不云乎[6]：‘居上位，未得其实，以喜其为名者，必以骄奢为行。据慢骄奢，则凶从之。是故无其实而喜其名者削，无德而望其福者约，无功而受其禄者辱，祸必握[7]。’故曰：‘矜功不立，虚愿不至。’此皆幸乐其名华，而无其实德者也。是以尧有九佐[8]，舜有七友[9]，禹有五丞[10]，汤有三辅[11]，自古及今而能虚成名于天下者，无有。是以君王无羞亟问，不愧下学；是故成其道德而扬功名于后世者，尧、舜、禹、汤、周文王是也。故曰：‘无形者，形之君也。无端者，事之本也。’夫上见其原，下通其流，至圣人明学，何不吉之有哉！老子曰[12]：‘虽贵，必以贱为本；虽高，必以下为基。是以侯王称孤寡不谷，是其贱之本与？’非夫孤寡者，人之困贱下位也，而侯王以自谓，岂非下人而尊贵士与？

夫尧传舜，舜传禹，周成王任周公旦而世世称曰名主，是以明乎士之贵也。”

宣王曰：“嗟乎！君子焉可侮哉？寡人自取病耳！及今闻君子之言，乃今闻细人之行，愿请受为弟子。且颜先生与寡人游，食必太牢，出必乘车，妻子衣服丽都。”

颜斶辞去曰：“夫玉生于山，制则破焉，非弗宝贵矣，然夫璞不完。士生乎鄙野，推选则禄焉，非不得尊遂也，然则形神不全。斶愿得归，晚食以当肉，安步以当车，无罪以当贵，清静贞正以自虞。制言者王也，尽忠直言者斶也。言要道已备矣，愿得赐归，安行而反臣之邑屋。”则再拜而辞去也。

斶知足矣⑬，归反扑⑭，则终身不辱也。

【注释】

①齐宣王：田辟疆，齐威王之子，前319～前301年在位。颜斶：齐国隐士。

②亦：鲍本“亦”上有“斶”字。

③柳下季：即柳下惠，鲁国大夫，贤者。姓展，名禽，字季，食邑柳下，谥惠。

④石：古代重量单位，120斤。虡：古代悬挂钟磬的架子两旁的柱子。

⑤不：一本“不”上有“无”字。一说，原作“万物不求备具”。

⑥《易传》：是对《周易》经文的解释，共十篇，合称《十翼》。本篇引文不见今本，当是佚文。

⑦握：同“渥”，厚。

⑧佐：辅助的官。九佐：传说有舜、契、禹、后稷、夔、倕、伯夷、皋陶、益。
⑨七友：传说有雄陶、方回、续牙、伯阳、东不訾、秦不虚、灵甫。
⑩承：辅佐的官。五承：相传有益、稷、皋陶、倕、契。
⑪辅：辅弼的官。三辅：相传有谊伯、仲伯、咎单。
⑫《老子》：即《道德经》，此引文见第三十九章，今本末句作"此非以贱为本邪？非乎？"
⑬斶：鲍本"斶"上有"曰"字，并补"君子"二字。译文从之。
⑭归反扑：鲍本"归"下有"真"字，"扑"作"璞"。

【译文】

齐宣王接见颜斶，说："颜斶向前来！"颜斶也说："大王向前来！"齐宣王很不高兴。齐宣王身边的人说："大王是国君，你颜斶是大臣。大王说'颜斶向前来'，你颜斶也说'大王向前来'，这能行吗？"颜斶回答说："要是我主动向前是贪慕权势，而大王主动向前是礼遇贤士。与其让我去贪慕权势，不如让大王礼遇贤士。"齐宣王气得变了脸色，说："是国王尊贵呢，还是士人尊贵？"颜斶回答说："当然是士人尊贵，国王不尊贵。"齐宣王说："这话有根据吗？"颜斶说："有。从前秦国攻打齐国，秦王下令说：'有胆敢在柳下惠坟墓五十步内打柴的，处以死刑，绝不赦免。'又下令说：'有能砍下齐王脑袋的，封他为万户侯，赏赐黄金一千镒。'由此看来，活着的国王的脑袋，竟然不如死去的贤士的坟墓。"齐宣王听了没有说话但很不高兴。

齐宣王身边的人都说："颜斶过来！颜斶过来！国王拥有能出动千辆兵车的国土，又铸造了重一千石的大钟、重一万石的钟架。天下的仁人义士，都来为君王任职效力；有口才、有智谋的人都来投奔，没有不来献计献策的；东西南北四面八方的诸侯，没有谁敢不服从的。想要的东西没有得不到的，百姓没有不归附的。现在那些高级的士人，只不过称为匹夫，徒步行走，身处田间；下等的士人，住在穷乡僻壤，给人看守门户。士人地位的卑贱，真是到了极点！”

颜斶回答说：“不是这样。我听说，古代大禹的时候，诸侯国有一万个。用什么法则治国呢？道德淳厚的途径，是得力于崇尚士人。所以虞舜虽然起家于民间，出身农夫，却成为天子。到商汤的时候，诸侯国三千个。当今的世上，面南称王的诸侯，才二十四个。由此看来，诸侯的多少，不正是得士与失士的策略所决定的吗？等失士的诸侯逐渐被消灭的时候，即使想在里巷看守大门，怎么可能办到呢？所以《易传》中不是这样说过么：‘身居高位的人没有高位的人应有的品德；只喜欢标榜虚名的人，必定会用骄横奢侈作为自己的行为；倨傲、怠慢、骄横、奢侈，祸患就会跟着降临。所以没有居上位的德行而喜欢追求虚名的人，他的封地必然削减；没有德行而希望享福的人，必然会陷于困窘；没有功劳而享受俸禄的人，必然会蒙受耻辱，祸患必然很多。’所以说：‘夸耀自己功德的人不能建功立业，只有虚妄的愿望不能达到目的。’这都是指那些喜欢虚名、华而不实的人。因此尧有九人辅佐，舜有七个良友，禹有五个佐官，汤有三个助手，从古到今，没有德行、没有贤人辅佐而能在天下成名的人，是不存在的。因此君王不以多次向别人请教而感到羞耻，不以向地位低的人学习而感到惭愧；这样才能成就道德并把声名传扬于后世，尧、舜、禹、汤、周文王就是这样的人。所以说：‘无形的实德是有形事物的主宰，无端绪的实德是有形事物的根本。’上能溯知事物的本源，下能通晓事物的演变，如此圣明而又通晓学问，怎么会有不吉利的事情发生呢！老子说：‘虽然尊贵，一定要以卑贱为根本；虽然高大，一定要以低下为基础。因此，诸侯、君王自称孤、寡、不谷，这大概就是把低贱看做根本吧！’孤、寡是指处于困窘、卑贱和下位的人，而诸侯、君王却用来称呼自己，难道不是君王自居人下而尊重士人吗？尧把帝位传给舜，舜把帝位传给禹，周成王任用周公旦，世世代代都称他们是英明的君主，是因为他们明白士的尊贵啊！”

齐宣王说：“唉！怎么能侮辱君子呢！我是自讨没趣罢了！直到今天听到君子的高论，才知道不知贵士是小人的行为，我希望先生收我为弟子。并且先生与我交往的话，每天吃饭必有牛、羊、猪的肉，出门一定让你乘坐马车，妻子儿女的衣服一定非常华丽。”

颜斶辞谢说：“玉石生在山里，雕琢就会破璞，并不是说它不宝贵了，而是玉石本来的面貌失去了。士人生在乡野，一经推选就得到禄位，不是不尊贵显达，而是士人的形神本色也失去了。我宁愿回到乡间，晚一点吃饭，就权当吃肉一样美味；安闲地散步，就权当坐车一样舒适；不触犯王法，就权当显贵；清静寡欲、节操纯正，自得其乐。发号施令的是你君王，竭尽忠诚、直言规劝的是我颜斶。我要说的重要道理已经说完了，希望能赐我回去，安步返回我的家乡。”于是向齐宣王拜了两拜，告辞而去。

应该说颜斶算是知足了，归真返璞，保持本色，就终身不受耻辱。

齐王使使者问赵威后

【题解】

本文选自《齐策四》。

本篇通过赵威后与齐国使者的对话,表现了赵威后“以民为本”的政治观点,也对齐国政治状况有所批判。赵威后以年成和民为“本”,以国君为“末”,这和当时的纵横家不同,而和孟子一派的儒家思想有相似之处,在历史上有一定的进步意义。全文以提问、反问的方式说明问题,使行文紧凑有力。

【原文】

齐王使使者问赵威后[①]。书未发,威后问使者曰:“岁亦无恙耶[②]? 民亦无恙耶? 王亦无恙耶? ”使者不说,曰:“臣奉使使威后,今不问王,而先问岁与民,岂先贱而后尊贵者乎? ”威后曰:“不然。苟无岁,何以有民? 苟无民,何以有君? 故有问舍本而问末者耶? ”乃进而问之曰:“齐有处士曰钟离子[③],无恙耶? 是其为人也,有粮者亦食,无粮者亦食;有衣者亦衣,无衣者亦衣。是助王养其民也,何以至今不业也[④]? 叶阳子无恙乎[⑤]? 是其为人,哀鳏寡,恤孤独,振困穷,补不足。是助王息其民者也,何以至今不业也? 北宫之女婴儿子无恙耶[⑥]? 彻其环瑱(tiàn)[⑦],至

老不嫁，以养父母。是皆率民而出于孝情者也，胡为至今不朝也[8]？此二士弗业，一女不朝，何以王齐国，子万民乎？於陵子仲尚存乎[9]？是其为人也，上不臣于王，下不治其家，中不索交诸侯。此率民而出于无用者，何为至今不杀乎？”

【注释】

①齐王：齐襄王。赵威后：赵惠文王妻。惠文王死，子孝成王继位，年幼，由威后执政。

②无恙：平安无事，古代书信常用问好之词。恙：忧患，疾病。

③处士：有才能而隐居不仕的人。钟离子：齐人，复姓钟离。

④不业：不使他成就功业，指用他做官。

⑤叶阳子：齐国处士，复姓叶阳。

⑥北宫：复姓。婴儿子：北宫氏的女儿，齐国有名的孝女。

⑦环瑱：耳环和玉质的耳饰。

⑧不朝：不使其上朝，指不加封号。古代妇女有封号才能朝见国君。

⑨於陵：齐邑，在今山东邹平东南。子仲：又称田仲、陈仲、陈仲子，齐国隐士。

【译文】

齐襄王派使者去问候赵威后。赵威后还没有打开齐王的书信，就问使者说："齐国的年景还好吧？老百姓平安吧？齐王也健康吧？"使者听了很不高兴，说："我奉大王使命来问候您，现在您不先问我们大王，而先问年景和百姓，难道能把卑贱的放在前面而把尊贵的放在后面吗？"赵威后说："不是这样的。如果没有好的年景，百姓靠什么生存？如果没有百姓，国君靠什么存在？怎么能舍弃根本而问枝节呢？"于是赵威后进一步问使者说："齐国有个处士，名叫钟离子，他好吗？他这个人的为人呀，是有粮食的人他供着吃，没有粮食的人他也供着吃；有衣服的人他供着穿，没有衣服的人他也供着穿。这是帮助大王抚养百姓的人啊，为什么至今不让他做官成就功业呢？叶阳子好吧？他这个人的为人呀，同情鳏夫和寡妇，抚恤孤儿和老人，救济穷困的人，补助缺吃少穿的人。这是帮助大王养育百姓的人啊，为什么至今还不让他做官成就功业呢？北宫氏的女儿婴儿子还好吧？她取下自己的耳环和玉饰，到老不嫁，来供养父母。这些都是带领百姓行孝的行为啊，为什么至今不加封她让她上朝呢？这两位贤士不让他们做官成就功业，一位孝女不加封让她上朝，大王靠什么在齐国做国君、养育百姓呢？於陵的子仲还活着吗？他这个人的为人呀，上不能向王称臣，下不能治理他的家室，又不结交诸侯。这是带领百姓做对国家没有用处的事的人啊，为什么至今不杀掉他呢？"

田单将攻狄

【题解】

本文选自《齐策六》。

燕昭王用乐毅为将，攻下齐国七十余城。齐将田单在即墨坚持抗战，后出奇兵收复失地，立下汗马功劳，被封为安平君。他成名之后，养尊处优，不再与战士同甘共苦，使士气涣散，所以在攻狄战斗中屡遭失败。然而他能寻求失败的原因，勇于接受批评，最后取得了胜利。文中通过田单攻狄，说明战争中指挥者作风的重要性。文章对田单这位将军今昔表现的对比描写，极其概括，却又非常生动。

【原文】

田单将攻狄[①]，往见鲁仲子[②]。仲子曰："将军攻狄，不能下也。"田单曰："臣以五里之城，七里之郭，破亡余卒，破万乘之燕，复齐墟。攻狄而不下，何也？"上车弗谢而去。遂攻狄，三月而不克之也。

齐婴儿谣曰："大冠若箕，修剑拄颐，攻狄不能，下垒枯丘[③]。"田单乃惧，问鲁仲子曰："先生谓单不能下狄，请闻其说。"鲁仲子曰："将军之在即墨，坐而织蒉，立则丈插，为士卒倡曰：'何往矣！宗庙亡矣！云曰尚矣[④]！归于何党矣！'当此之时，将军有死之心，而士卒无生之气，闻若言，莫不挥泣奋臂而欲战，此所以破燕也。当今将军东有夜邑之奉[⑤]，西有菑(zī)上之虞[⑥]，黄金横带而驰乎淄、渑之间[⑦]，有生之乐，无死之心，所以不胜者也。"田单曰："单有心，先生志之矣。"明日，乃厉气循城，立于矢石之所，乃援枹(fú)鼓之，狄人乃下。

【注释】

①田单：齐将，初为临淄市掾。在燕将乐毅破齐后，坚守即墨，后行反间计，用火牛阵击败燕军，一举收复失地，迎立襄王，任为相，封安平君。狄：齐邑，在今山东高青东南。

②鲁仲子：即鲁仲连，亦称鲁连，齐人，有计谋，常游历各国，为人排解纷难。

③攻狄不能，下垒枯丘：当从《说苑》作"攻狄不下，垒于梧丘"。

④云曰：一作"去日"，鲍本作"亡日"，即亡国以来的日子。

⑤夜邑：即掖邑，在今山东莱州。

⑥菑上：即淄上，淄水之滨。田单封于安平(在今山东临淄)，掖邑在东，淄水在西。虞：同"娱"。

⑦渑：水名，源出山东淄博东北。

【译文】

田单将要攻打狄城，去见鲁仲连。鲁仲连说："将军攻打狄城，是不能攻下来的。"田单说："我凭着五里的内城，七里的外城和国破战败的残兵，打败了有万辆兵车的燕国，收复了齐国的失地。你说攻狄城不能攻下，为什么？"说完登上车没有告辞就离开了。于是攻打狄城，攻打了三个月也没有攻下来。

齐国的小孩唱儿歌说："大大的帽子像簸箕，长长的剑柄拄下颐。攻打狄城打不下，退军筑垒到梧丘。"田单听了害怕起来，又去问鲁仲连，说："先生认为我不能攻下狄城，请让我听听其中的道理。"鲁仲连说："将军当初坚守在即墨城的时候，坐下就编织草袋子，起来就拿锹干活，做士兵的带头人，号召将士们说：'我们无处可去了！宗庙被烧毁了！败亡的日子很久了！我们能回到什么地方去呢！'在那个时候，将军有拼死的决心，士兵没有偷生的想法，听了你这些话，无不挥泪振臂想跟敌人决一死战，这就是将军能够打败燕国的原因。如今将军东有掖邑供奉的租赋，西有淄水之滨的游乐场所，腰间系着黄金带钩的大带，驱车奔驰在淄水、渑水之间，有贪生的欢乐，没有拼死的决心，这是将军不能攻下狄城的原因。"田单说："我有拼死的决心，先生请记在心里。"第二天，田单就激励士气，巡视城垣，站在弓箭能射到、石头能投到的地方，抡起大槌，击鼓指挥攻城，狄城终被攻下。

荆宣王问群臣

【题解】

本文选自《楚策一》。内容又见《新序·杂事二》。

用寓言说明一个道理，是《战国策》的特色之一。本篇记述江乙用"狐假虎威"的寓言故事，说明中原各诸侯国并非惧怕昭奚恤本人，而是害怕楚国强大的军事力量。"狐假虎威"这个成语即出于此。

【原文】

荆宣王问群臣曰①："吾闻北方之畏昭奚恤也②，果诚何如？"群臣莫对。江一对曰③："虎求百兽而食之，得狐。狐曰：'子无敢食我也。天帝使我长百兽④，今子食我，是逆天帝命也。子以我为不信，吾为子先行，子随我后，观百兽之见我而敢不走乎？'虎以为然，故遂与之行。兽见之皆走。虎不知兽畏己而走也，以为畏狐也。今王之地方五千里，带甲百万，而专属之昭奚恤；故北方之畏奚恤也，其实畏王之甲兵也，犹百兽之畏虎也。"

【注释】

①荆宣王：即楚宣王，熊氏，名良夫。前369～前340年在位。

②昭奚恤：楚国的贵族，当时的名将。

③江一：鲍本作“江乙”，魏国人，在楚国做官，与昭奚恤不和。译文从鲍本。
④长百兽：做百兽之长。长：做首领。

【译文】

楚宣王问群臣说：“我听说北方的各诸侯国都害怕昭奚恤，果真是这样吗？”群臣中没有一个人回答。江乙回答说：“老虎寻找各种野兽吃，捉住了一只狐狸。狐狸说：‘你是不敢吃我的！天帝派我来做百兽的首领，现在你要是吃了我，这就是违背天帝的命令了。如果你认为我说的话不可靠，我就走在你的前面，你跟在我的后面，看百兽见到我有敢不逃跑的吗？’老虎认为狐狸说的话有道理，所以就跟着狐狸一起走。百兽一看见老虎就都逃跑了。老虎不知道百兽是害怕自己才逃跑的，还以为是害怕狐狸呢。现在大王的土地方圆五千里，全副武装的战士有上百万，这百万军队全部归昭奚恤统帅。所以北方的诸侯国害怕昭奚恤，其实是害怕大王的百万大军，就像百兽害怕老虎一样啊！”

威王问于莫敖子华

【题解】

本文选自《楚策一》。

楚威王感叹国家没有“社稷之臣”，莫敖子华则列举了本国历史上五位杰出人物的事迹，来说明这五种类型的人才都是“社稷之臣”。他开导楚王要善于识别各种人才，不拘一格地使用各种人才。他指出，当政者只要真正地好贤爱才，就不难罗致人才。

本文通过莫敖子华对楚王的讽谏，说明了应该怎样评价和使用人才的问题。他所列举的五种不同类型的爱国人物，大都是不贪图高官厚禄，并置个人生死于度外的人，所以能为国家做出巨大贡献。文中蒙谷认为自己“非人臣，社稷之臣”，将国君与国家分开，不对个人而对国家负责的观点是一种进步的观点，有积极的思想意义。

【原文】

威王问于莫敖子华曰[①]：“自从先君文王以至不谷之身[②]，亦有不为爵劝，不为禄勉，以忧社稷者乎？”莫敖子华对曰：“如华不足知之矣。”王曰：“不于大夫，无所闻之。”莫敖子华对曰：“君王将何问者也？彼有廉其爵，贫其身，以忧社稷者；有崇其爵，丰其禄，以忧社稷者；有断脰（dòu）决腹[③]，壹瞑而万世不视，不知所益，以忧社稷者；有劳其身，愁其志，以忧社稷者；亦有不为爵劝，不为禄勉，以忧社稷者。”王曰：“大夫此言，将何谓也？”

莫敖子华对曰：“昔令尹子文[4]，缁帛之衣以朝，鹿裘以处；未明而立于朝，日晦而归食；朝不谋夕，无一月之积[5]。故彼廉其爵，贫其身，以忧社稷者，令尹子文是也。

“昔者，叶公子高[6]，身获于表薄，而财于柱国；定白公之祸[7]，宁楚国之事；恢先君以掩方城之外，四封不侵，名不挫于诸侯。当此之时也，天下莫敢以兵南乡。叶公子高，食田六百畛[8]，故彼崇其爵，丰其禄，以忧社稷者，叶公子高是也。

“昔者，吴与楚战于柏举[9]，两御之间夫卒交。莫敖大心抚其御之手[10]，顾而大息曰：‘嗟乎！子乎，楚国亡之月至矣！吾将深入吴军，若扑一人，若捽（zuó）一人，以与大心者也，社稷其为庶几乎！’故断脰决腹，壹瞑而万世不视，不知所益，以忧社稷者，莫敖大心是也。

“昔吴与楚战于柏举，三战入郢。寡君身出，大夫悉属，百姓离散。棼冒勃苏曰[11]：‘吾被坚执锐，赴强敌而死，此犹一卒也，不若奔诸侯。’于是赢粮潜行，上峥山，逾深溪，蹠（zhí）穿膝暴，七日而薄秦王之朝。雀立不转[12]，昼吟宵哭。七日不得告，水浆无入口，瘨（diān）而殚闷[13]，旄不知人[14]。秦王闻而走之，冠带不相及，左奉其首，右濡其口，勃苏乃苏。秦王身问之：‘子孰谁也？’棼冒勃苏对曰：‘臣非异，楚使新造盩(lì)棼冒勃苏[15]，吴与楚人战于柏举，三战入郢，寡君身出，大夫悉属，百姓离散。使下臣来告亡，且求救。’秦王顾令不起：‘寡人闻之，万乘之君，得罪一士，社稷其危，今此之谓也！’遂出革车千乘，卒万人，属之子满与子虎[16]，下塞以东，与吴人战于浊水而大败之[17]，亦闻于遂浦[18]。故劳其身，愁其思，以忧社稷者，棼冒勃苏是也。

“吴与楚战于柏举，三战入郢。君王身出，大夫悉属，百姓离散。蒙谷给斗于宫唐之上[19]，舍斗奔郢曰：‘若有孤，楚国社稷其庶几乎？’遂入大宫，负鸡次之典以浮于江[20]，逃于云梦之中[21]。昭王反郢，五官失法[22]，百姓昏乱。蒙谷献典，五官得法，而百姓大治。此蒙谷之功，多与存国相若，封之执圭，田六百畛。蒙谷怒曰：‘谷非人臣，社稷之臣。苟社稷血食，余岂悉无君乎？’遂自弃于磨山之中，至今无冒。故不为爵劝，不为禄勉，以忧社稷者，蒙谷是也。”

王乃大息曰：“此古之人也。今之人，焉能有之耶？”

莫敖子华对曰：“昔者，先君灵王好小要[23]，楚士约食，冯而能立，式而能起。食之可欲，忍而不入；死之可恶，然而不避。章闻之，其君好发者，其臣抉拾[24]。君王直不好，若君王诚好贤，此五臣者，皆可得而致之。”

【注释】

①威王：即楚威王，姓熊名商，前339～前329年在位。莫敖：楚官名，掌传王命和备顾问，地位仅次于令尹。子华：名章，字子华，楚大夫。

②文王：楚文王，名熊赀，武王之子，前689～前677年在位。不谷：不善，诸侯自谦之称。

③脰：颈，脖子。

④令尹：楚最高官职，掌军政大权，相当于丞相。子文：姓斗，名谷于菟，字子文，楚成王时为令尹。

⑤月：鲍本作“日”。

⑥叶公子高：姓沈，名诸梁，字子高，春秋时人，封于叶邑（今河南叶县），故称叶公。

⑦白公之祸：白公，名胜，是楚平王的孙子。其父太子建曾遭谗害奔郑，被杀。胜奔吴，楚惠王时，被令尹子西召回，任巢大夫，号白公。白公请伐郑，子西不听。白公杀子西，劫惠王，欲立新君，史称“白公之乱”。叶公子高领兵击败白公，白公自杀，惠王复位。

⑧畛：古代计算田地的单位，一千亩为一畛。

⑨柏举：春秋时楚地，在今湖北麻城东北。楚昭王十年（前506年），吴王阖闾率师攻楚，在柏举大败楚军，并攻占郢都，昭王出走。

⑩莫敖大心：旧说以为即楚左司马沈尹戎，叶公子高之父，在柏举之战中战死。

⑪棼冒勃苏：即申包胥，楚国大夫。姓棼冒，名勃苏（与“包胥”音近），封于申，故称。

⑫雀：据王念孙考证，当作“隺”，同“鹤”。鹤立，像鹤一样站立不动而

翘首企望。

⑬瘨：同“癫”，晕倒。殚闷：呼吸困难。

⑭旄：通“眊(mào)”，眼睛浑浊，视物不清。

⑮新造盩：据考证，此三字当在下文“吴”字下，意谓吴最近引起灾祸。盩，罪。

⑯子满、子虎：皆秦将。子满，《左传》作“子蒲”。

⑰浊水：古淯(yù)水，即今湖北襄阳境内的白河。

⑱遂浦：楚地，在今江西遂川。“亦闻于遂浦”一句，疑是注文混入正文者。

⑲蒙谷：楚将。给斗：鲍本作“结斗”，即交斗。官唐：地名。一说，即官庭。

⑳鸡：一本作“离”。离次：编次离散。典：法典。

㉑云梦：古泽名，为楚王游猎区，在今湖北云梦一带。

㉒五官：分司天、地、神、民、类物的五种官职，也泛指百官。

㉓灵王：楚共王之子，康王之弟，名围，前540～前529年在位。小要：细腰。要，同“腰”。

㉔抉:扳指,古代射箭时套在右手拇指上,用来钩弦。拾:臂套,古代射箭时用的皮制护袖。抉拾,在这里用作动词。

【译文】

楚威王问莫敖子华:“从先君文王直到我这一代为止,有不追求爵位,不贪图俸禄,而忧虑国家安危的人吗?”莫敖子华回答说:“像我这样的人还不能知道这样的问题。”楚威王说:“不向你了解,就无从知道了。”莫敖子华回答说:“君王要问的是什么样的人呢?那些人当中,有为官廉洁,安于清贫,而忧虑国家安危的人;有为了提高自己的爵位,增加自己的俸禄,而忧虑国家安危的人;有刎颈剖腹,视死如归,不考虑个人利益,而忧虑国家安危的人;有身体劳累,心情苦闷,而忧虑国家安危的人,也有不追求爵位,不贪图俸禄,而忧虑国家安危的人。”楚威王说:“你这些话,指的是哪些人呢?”

莫敖子华回答说:“从前,令尹子文上朝穿黑色绸衣,家居披鹿皮长袍,天不亮就站在朝廷等候朝见,天黑了才回家吃饭;早晨顾不上考虑晚上的事,家里没有一天的积存。所以,我说的为官廉洁,安于清贫,而忧虑国家安危的人,就是令尹子文。

“从前,叶公子高出身微贱,被柱国看做人才;他评定了白公发动的叛乱,稳定了楚国的君位;发扬了先君遗德,而影响到方城以外,四境不受侵犯,使国家的名声在诸侯中没有受到损伤。在这个时候,天下诸侯没有哪个国家敢对楚国用兵。叶公子高,受封地六百畛。所以,我说的为了提高自己的爵位,增加自己的俸禄,而忧虑国家安危的人,就是叶公子高。

“从前,吴国和楚国在柏举作战,两军对垒,兵卒交战。莫敖大心抚摸着驾车人的手,回头对战士叹息说:‘唉,楚国灭亡的日子到了!

我们要深入吴军之中，或打死一人，或抓住一人，以此来帮助我大心。这样，我们楚国或许还不至于灭亡吧？’所以，我说的刎颈剖腹，视死如归，不考虑个人利益，而忧虑国家安危的人，就是莫敖大心。

“从前，吴国和楚国在柏举作战，经过三次战斗，吴军攻入郢都。楚昭王逃出郢都，大臣们全都跟随出逃，百姓流离，四处逃亡。棼冒勃苏说：‘我如果身披铠甲，手拿兵器，冲向强大的敌人而战死，这只像一个普通士兵罢了，不如奔赴诸侯求援。’于是背着干粮，秘密出发，登上高山，越过深溪，磨破鞋底，露出膝盖，走了七天，来到秦王的朝廷。他鹤立不动，翘首企望，日夜哭泣。一连七天不能面告秦王。他滴水未进，晕倒在地，呼吸困难，眼花缭乱，不省人事。秦王听说后赶紧跑到他的身边，连加冠束带也未来得及，左手捧着他的头，右手给他喂水，勃苏这才苏醒过来。秦王亲自问他：‘你是谁啊？’棼冒勃苏回答说：‘我不是别人，我是楚国的使者棼冒勃苏。吴国最近引起灾祸，与楚国人在柏举打仗，经过三次战斗，吴军攻入郢都，国君逃出郢都，大臣们都跟随出逃，百姓流离，四处逃亡。特派我来报告楚国面临亡国的险情，并且请求出兵救援。’秦王让他起来，并且说：‘我听说，拥有万辆兵车的大国君主，如果得罪了一个志士，国家就会危险，说的就是现在这个情况啊。’于是派出战车一千辆，士兵一万人，让子满和子虎统领，出关向东进发，与吴军在濇水交战，把吴军打得大败，又听说在遂浦作战。所以，我说的身体劳累，心情苦闷，而忧虑国家安危的人，就是棼冒勃苏。

“吴国和楚国在柏举作战，经过三次战斗，吴军攻入郢都。楚昭王逃出郢都，大臣们全都跟随出逃，百姓流离，四处逃亡。蒙谷在宫唐与吴军交战，他放弃战斗，奔到郢都，说：‘如果有楚王孤子继位，楚国这个国家大概还有希望吧？’于是进入楚王宫中，背上编次离散的法典，乘船漂浮过大江，逃到云梦泽中。后来，楚昭王返回郢都，百官失去法律依据，百姓混乱；蒙谷献出法典，百官有了法度，百姓得到很好的治理。蒙谷献出法典的功劳，完全可以与保全国家相当。于是，楚王封他执圭的爵位，赐田六百畛。蒙谷生气地说：'我不是君王个人的臣子，是国家的臣子，如果国家不灭亡，我难道担忧没有官做吗？'于是他离开朝廷，隐居在磨山之中，至今没有得到爵位。所以我说的不追求爵位，不贪图俸禄，而忧患国家安危的人，就是蒙谷。"

楚威王于是长叹一声说："这些都是古代的人。现在的人，怎么会有这样的人呢？"

莫敖子华回答说："从前，先君楚灵王喜爱细腰的人，楚国的士人就节制饮食，以致饿得靠着东西才能站立，扶着东西才能站起来。这些人虽然想吃东西，但忍着饿不进食；死亡是人们憎恶的，但为了细腰不畏惧。我听说，国君爱好射箭，他的大臣们就都学习射箭。君王只是不喜欢贤士罢了，如果君王真的喜欢贤士，这五种贤臣，都能够得到并招来。"

魏王遗楚王美人

【题解】

本文选自《楚策四》。内容又见《韩非子·内储说下》。

本文记述楚王宠姬郑袖设毒计陷害魏国美人的故事。她先竭力讨好魏美人，骗取其信任，并使楚王认为她“不妒”，然后设计圈套，搬弄是非，终于借楚王之手置魏美人于死地。文章文字不多，但把魏美人的单纯善良，郑袖的阴险毒辣，楚王的骄横残暴，都鲜明地表现了出来。

【原文】

魏王遗楚王美人[①]，楚王说之。夫人郑袖知王之说新人也[②]，甚爱新人。衣服玩好，择其所喜而为之；宫室卧具，择其所善而为之。爱之甚于王。王曰：“妇人所以事夫者，色也；而妒者，其情也。今郑袖知寡人之说新人也，其爱之甚于寡人，此孝子之所以事亲，忠臣之所以事君也。”

郑袖知王以己为不妒也，因谓新人曰：“王爱子美矣。虽然，恶子之鼻。子为见王，则必掩子鼻。”新人见王，因掩其鼻。王谓郑袖曰：“夫新人见寡人，则掩其鼻，何也？”郑袖曰：“妾知也。”王曰：“虽恶必言之。”郑袖曰：“其似恶

闻王之臭也。”王曰：“悍哉！”令劓之[3]，无使逆命。

【注释】

①魏王：与楚怀王同时，魏国经历了魏惠王、魏襄王两君，此魏王为谁不详。楚王：楚怀王。

②郑袖：楚怀王宠妃。说：同“悦”。

③劓：古代酷刑，割掉鼻子。

【译文】

魏王送给楚怀王一个美女，楚怀王很喜欢她。夫人郑袖知道怀王宠爱这个新娶的美人，也表现出非常爱护她的样子。衣服玩物，挑选新人喜欢的送给她；房屋家具，挑选新人认为好的送给她。看起来，她对这个美人喜欢的程度超过了楚王。楚王说：“妇人用来侍奉丈夫的，是美色；而嫉妒心，是妇人的本性。现在郑袖知道我喜欢这个新来的美人，她爱护这个美人都超过了我。这是孝子用来侍奉父母，忠臣用来侍奉国君的感情啊。”

郑袖知道楚王认为自己是不嫉妒的人，于是对美人说：“大王很喜欢你的美貌。虽然如此，他却讨厌你的鼻子。你如果去见大王，一定要捂住自己的鼻子。”后来新人去见楚王，果然捂住自己的鼻子。楚王对郑袖说：“这个新人一见到我，就捂住她的鼻子，这是为什么？”郑袖说：“这个我知道。”楚王说：“即使难听的话，也一定要说出来。”郑袖说：“她好像是讨厌闻到君王身上的气味。”楚王说：“真是蛮横无理啊！”于是下令割掉这个美人的鼻子，不准违抗命令。

庄辛谓楚襄王

【题解】

本文选自《楚策四》。内容又见《新序·杂事二》。

楚国自怀王起，国力渐衰。襄王在位时，已非常衰弱，但他却贪图享乐，宠幸佞臣，不恤国政，结果在秦国的大举进攻下遭到惨败，被迫迁都于陈(今河南淮阳)。庄辛事先就对襄王进行过劝谏，在楚国败于秦后，再次进行讽谏，说明国君奢侈纵欲，居安忘危，必将国破家亡，欲使襄王接受教训，振兴国家。全文除开头、结尾外，全用比喻，从小到大，由物及人，自远而近，步步深入，渐入主题。这种写法，别具一格，生动形象，说服力强。

【原文】

庄辛谓楚襄王曰①："君王左州侯②，右夏侯③，辇从鄢陵君与寿陵君④，专淫逸侈靡，不顾国政，郢都必危矣⑤。"襄王曰："先生老悖乎？将以为楚国袄(yāo)祥乎？"庄辛曰："臣诚见其必然者也，非敢以为国袄祥也。君王卒幸四子者不衰，楚国必亡矣。臣请辟于赵，淹留以观之。"庄辛去之赵，留五月，秦果举鄢、郢、巫、上蔡、陈之地⑥，襄王流掩于城阳⑦。于是使人发驺，征庄辛于赵。庄辛曰："诺。"庄辛至，襄王曰："寡人不能用先生之言，今事至于此，为之奈何？”

庄辛对曰：“臣闻鄙语曰：‘见兔而顾犬，未为晚也；亡羊而补牢，未为迟也。’臣闻昔汤、武以百里昌，桀、纣以天下亡。今楚国虽小，绝长续短，犹以数千里，岂特百里哉？

“王独不见夫蜻蛉乎？六足四翼，飞翔乎天地之间，俯啄蚊虻而食之，仰承甘露而饮之，自以为无患，与人无争也。不知夫五尺童子，方将调铅胶丝[8]，加己乎四仞之上，而下为蝼蚁食也。

“蜻蛉其小者也，黄雀因是以。俯噣(zhuó)白粒，仰栖茂树，鼓翅奋翼，自以为无患，与人无争也。不知夫公子王孙，左挟弹，右摄丸，将加己乎十仞之上，以其类为招。昼游乎茂树，夕调乎酸咸，倏忽之间，坠于公子之手。

“夫雀其小者也，黄鹄因是以。游于江海，淹乎大沼，俯噣鳝鲤，仰啮蔆衡[9]，奋其六翮(hé)，而凌清风，飘摇乎高翔，自以为无患，与人无争也。不知夫射者，方将修其碆(bō)卢[10]，治其矰缴，将加己乎百仞之上。彼礛(jiān)磻(bō)，引微缴，折清风而抎(yǔn)矣。故昼游乎江河，夕调乎鼎鼐。

“夫黄鹄其小者也，蔡圣侯之事因是以[12]。南游乎高陂，北陵乎巫山，饮茹溪之流[13]，食湘波之鱼[14]，左抱幼妾，右拥嬖女，与之驰骋乎高蔡之中[15]，而不以国家为事。不知夫子发方受命乎宣王[16]，系己以朱丝而见之也。

“蔡圣侯之事其小者也，君王之事因是以。左州侯，右夏侯，辇从鄢陵君与寿陵君，饭封禄之粟，而戴方府之金，与之驰骋乎云梦之中，而不以天下国家为事。不知夫穰侯方受命乎秦王[17]，填黾塞之内[18]，而投己乎黾塞之外。”

襄王闻之，颜色变作，身体战栗。于是乃以执圭而授之为阳陵君[19]，与淮北之地也。

【注释】

①庄辛：楚臣，楚庄王之后，故以庄为姓。楚襄王：楚怀王之子，名横，前 298 ~ 前 263 年在位。

②州侯：楚襄王宠臣，封于州邑（在今湖北监利）。

③夏侯：楚襄王宠臣，封于夏邑（在今湖北武汉）。

④鄢陵君：楚襄王宠臣，封于鄢陵（在今河南鄢陵）。寿陵君：楚襄王宠臣，封于寿陵（在今安徽寿县）。

⑤郢都：楚都郢，在今湖北江陵西北。

⑥鄢：即鄢陵。巫：巫郡，今四川巫山北。上蔡：楚邑，在今河南上蔡西南。陈：楚邑，在今河南淮阳。按：上蔡、陈疑为衍字。

⑦城阳：在今河南信阳东北。按：疑是“阳城”误倒。时襄王亡走陈，而阳城在陈之西南。一说，即“成阳”，在今河南息县西北。

⑧铅：鲍本作“饴”，糖浆。

⑨蔆：同“菱”，一年生水生草本植物，果实即菱角。衡：同“荇”，一种水草。

⑩砮:石制的箭头。卢:黑色的弓。
⑪彼:鲍本作"被",遭受。礛:锐利。磻:同"砮",此指石制的箭头。
⑫蔡圣侯:鲍本"圣"作"灵"。蔡灵侯名般,杀父自立,后为楚灵王所杀。
⑬茹溪:水名,在巫山北。
⑭湘波:湘水,在今湖南境内,流入洞庭湖。
⑮高蔡:在今湖南常德。
⑯子发:名舍,楚将。宣王:即楚宣王,名良夫,前369～前340年在位。
⑰穰侯:魏冉,秦昭王之相,封于穰(今河南邓县西南)。秦王:秦昭王。
⑱黾塞:古隘道名,即平靖关,在今河南信阳西南。
⑲阳陵君:庄辛的封号。阳陵,疑即"陵阳",在今安徽青阳东南。

【译文】

庄辛对楚襄王说:"君王左边有州侯,右边有夏侯,车后跟着鄢陵君和寿陵君,一味地荒淫享乐,奢侈无度,不过问国家政事,这样下去,郢都必然危险了!"楚襄王说:"先生你老糊涂了吧?还是认为我这样做是楚国的不祥之兆呢?"庄辛说:"我确实是看到你这样做的必然结果,不敢把这话当做国家的不祥。如果君王始终宠幸这四个人而不加收敛,楚国一定要灭亡了。我请求躲避到赵国去,留在那里来观看楚国的变化。"庄辛离开楚国到了赵国,在那里住了五个月,秦国的军队果然攻占了鄢、郢、巫、上蔡、陈等地,楚襄王也流亡躲藏到城阳。于是叫人派遣骑士到赵国召庄辛。庄辛说:"好吧!"庄辛到了楚国,楚襄王对他说:"我当初没有听从先生的话,如今事情到了这种地步,对这事该怎么办呢?"

庄辛回答说:"我听俗语说:'看到兔子,再回头唤猎狗,还不算晚;

羊弄丢了，再去修补羊圈，还不算迟。’我听说，从前商汤、周武王凭着方圆百里的土地而兴盛起来，夏桀、商纣王拥有天下却灭亡了。如今楚国虽然小了，但截长补短，还有几千里地，岂止一百里呢？

“大王难道没见过蜻蜓吗？它有六只脚，四只翅膀，在天地之间飞翔，俯身捕捉小小的蚊蝇吃，仰头承接甜美的露水喝，自以为没有什么祸患，同人也没有什么争端。哪里知道那五尺高的孩子，正在调和糖浆，涂在丝网上，要把它在三丈来高的地方粘下来，丢在地上被蝼蛄、蚂蚁吃掉。

“蜻蜓的事是其中的小事，黄雀也是这样。它俯下身来啄食米粒，仰起身来在茂密的大树上栖息，鼓起翅膀奋力高翔，自以为没有祸患，同人也没有什么争端。哪里知道那些公子王孙，正左手握着弹弓，右手拿着弹丸，要把它从七丈高的空中射下来，拿它的脖颈当靶子。黄雀白天还在茂密的树上飞翔，晚上就和醋盐等作料调和在一起成了美肴。顷刻之间，落在了公子王孙手里。

“黄雀的事是其中的小事，黄鹄也是这样。它在江海上翱翔，在大湖边栖息，俯下身来吞食鳝鱼、鲤鱼，仰起头来咬食菱角、荇菜，振动翅膀，凌驾清风，飘飘摇摇在高空飞翔，自以为没有祸患，同人也没什么争端。哪里知道那些射猎的人，正在修理他们的弓和箭头，准备带丝绳的箭，要把它从七十丈的高空射下来。它身中利箭，拖着细细的丝绳，从清风中坠落下来。因此它白天还在江河上空飞翔，晚上就被人放到锅里烹煮做成美味了。

“黄鹄的事是其中的小事，蔡圣侯的事也是这样。他南游高丘，北登巫山，喝茹溪的水，吃湘水的鱼，左手抱着年轻的美妾，右手搂着宠幸的侍女，跟她们在高蔡驱车驰骋，不把国家当回事。哪里知道那子发正在接受楚宣王的命令，要用红绳绑上他去见楚灵王。

“蔡圣侯的事是其中的小事，君王的事也是这样。你左边有州侯，右边有夏侯，车后跟着鄢陵君和寿陵君，吃着从封地取来的粮食，载着从国库送来的黄金，跟他们在云梦泽中驰骋游乐，却不把天下国家当回事。哪里知道穰侯正在接受秦王的命令，在黾塞之内布满军队，而把你赶到了黾塞以外。”

楚襄王听了庄辛这些话，脸色大变，全身发抖。于是授给庄辛执圭的爵位，封他为陵阳君，后来庄辛帮助楚襄王收复了淮北的土地。

汗明见春申君

【题解】

本文选自《楚策四》。

本篇写汗明借用历史人物和骥遇伯乐的故事,希望春申君能了解和重用自己。他也给当政者阐明了一个道理，即要想得到真正的人才,就要善于发现人才和恰当使用人才,还要有伯乐爱护千里马的那种特殊感情,才能理解和珍惜人才。后世常用“骥服盐车”的故事比喻怀才不遇或求人荐举,此典故即出于此。

【原文】

汗明见春申君[①],候问三月,而后得见。谈卒,春申君大说之。汗明欲复谈,春申君曰:“仆已知先生,先生大息矣[②]。”汗明憱(cù)焉曰[③]:“明愿有问君而恐固[④]。不审君之圣，孰与尧也?”春申君曰:“先生过矣,臣何足以当尧?”汗明曰:“然则君料臣孰与舜?”春申君曰:“先生即舜也。”汗明曰:“不然,臣请为君终言之。君之贤实不如尧,臣之能不及舜。夫以贤舜事圣尧，三年而后乃相知也。今君一时而知臣，是君圣于尧而臣贤于舜也。”春申君曰:“善。”召门吏为汗先生著客籍[⑤],五日一见。

汗明曰：“君亦闻骥乎？夫骥之齿至矣[⑥]，

服盐车而上太行。蹄申膝折，尾湛胕(fū)溃[7]，漉汁洒地，白汗交流，中阪迁延，负辕不能上。伯乐遭之[8]，下车攀而哭之，解纻(zhù)衣以幂之。骥于是俯而喷，仰而鸣，声达于天，若出金石声者，何也？彼见伯乐之知己也。今仆之不肖，厄于州部，堀穴穷巷，沈洿(wū)鄙俗之日久矣，君独无意湔拔仆也[9]，使得为君高鸣屈于梁乎[10]？”

【注释】

①汗明：春申君的食客，事迹不详。春申君：黄歇，号春申君，楚国贵族，曾在顷襄王时任左徒，考烈王时任令尹，为战国四公子之一，门下食客三千人。

②大：据王念孙考证，“大”字衍。息：休息。

③慨焉：忧伤的样子。

④固：浅陋。

⑤门吏：世族豪门的家臣。客籍：登记宾客的簿子。

⑥骥：千里马。齿至：马到了可役使的年龄。

⑦尾湛：尾巴下垂。湛：同“沉”，此指下垂。胕溃：皮肤汗出乱流。胕：同“肤”。溃：乱流。

⑧伯乐：姓孙名阳，春秋秦穆公时

人,以善相马著称。
⑨湔拔:洗除。拔,鲍本作“祓”。
⑩梁:山梁,谓太行之梁。

【译文】

汗明去求见春申君,等候了三个月才见到。谈完以后,春申君很喜欢他。汗明想再谈下去,春申君说:“我已经了解先生,先生可以休息了。”汗明忧伤地说:“我想问你一个问题,又怕问得浅陋。不知你和尧相比,谁更圣明?”春申君说:“先生太过分了,我怎么能和尧相提并论呢?”汗明说:“那么,你估量着我和舜比怎么样?”春申君说:“先生就是舜。”汗明说:“不是这样。请让我把话给你都说出来吧。你的贤明确实不如尧,我的才能也比不上舜。凭着有才能的舜去侍奉圣明的尧,三年以后尧才了解舜。现在你一会儿的功夫就能了解我,这就是说你比尧圣明,而我比舜更有才能。”春申君说:“讲得好。”于是召来家臣把汗明的名字登记在宾客的名册上,每五天会见一次。

汗明对春申君说:“你也听说过千里马的故事吧?有一匹千里马到了可以驾车的年龄,让它拉着盐车上太行山。它四蹄伸展,双膝弯曲,尾巴下垂,皮肤流汗,汗水洒了一地,冷汗交错下流,到了半山坡实在难以前行,驾着车辕不能上去。伯乐遇到了它,跳下车来拉着车辕为它哭泣,解下自己的麻布衣服盖在它身上。这时千里马低下头打了个响鼻,又昂起头一声长鸣,声音响入云霄,好像是从钟磬等乐器里发出来的,这是为什么呢?是因为千里马看到伯乐了解自己啊!如今我没有什么才能,困在地方遭受苦难,住在陋巷土室里,沉埋在鄙陋风俗中已经很久了,你难道无意洗除我的污秽,使我能为你在太行山坡大声喊出自己的委屈吗?”

知伯帅赵、韩、魏而伐范、中行氏

【题解】

本文选自《赵策一》。内容又见《韩非子·十过》及《淮南子·人间训》，但《淮南子》简略。

春秋战国之际，晋国公室衰弱，韩、赵、魏、范、中行和知氏六卿势力强大，互相攻伐。范、中行氏先亡，赵、韩、魏三家又联合灭知氏，形成"三家分晋"的局面，标志着战国时代开始。本文记载了三家灭知氏的经过，故事情节完整，叙述繁简适当，人物形象鲜明、生动。

【原文】

知伯帅赵、韩、魏而伐范、中行氏[①]，灭之。休数年，使人请地于韩。韩康子欲勿与[②]，段规谏曰[③]："不可。夫知伯之为人也，好利而鸷复[④]，来请地不与，必加兵于韩矣。君其与之。与之，彼狃，又将请地于他国，他国不听，必乡之以兵；然则韩可以免于患难，而待事之变。"康子曰："善。"使使者致万家之邑一于知伯。知伯说，又使人请地于魏，魏宣子欲勿与[⑤]。赵葭谏曰[⑥]："彼请地于韩，韩与之。请地于魏，魏弗与，则是魏内自强，而外怒知伯也。然则其错兵于魏必矣！不如与之。"宣子曰："诺。"因使人致万家之邑一于知伯。知伯说，又使人之赵，请蔡、皋狼之地[7]，赵襄子弗与[8]。知伯因阴结韩、魏，将以伐赵。

赵襄子召张孟谈而告之曰[9]："夫知伯之为人，阳亲而阴疏，三使韩、魏，而寡人弗与焉，其移兵寡人必矣。今吾安居而可？"张孟谈曰："夫董阏安于[10]，简主之才臣也[11]，世治晋阳[12]，而尹泽循之[13]，其余政教犹存，君其定居晋阳。"君曰："诺。"乃使延陵王将车骑先之晋阳[14]，君因从之。至，行城郭，案府库，视仓廪，召张孟谈曰："吾城郭之完，府库足用，仓廪实矣，无矢奈何？"张孟谈曰："臣闻董子之治晋阳也，公宫之垣，皆以狄蒿苫楚廧(qiáng)之[15]，其高至丈馀，君发而用之。"于是发而试之，其坚则箘(jùn)簬(lù)之劲不能过也[16]。君曰："足矣，吾铜少若何？"张孟谈曰："臣闻董子之治晋阳也，公宫之室，皆以炼铜为柱质，请发而用之，即有余铜矣。"君曰："善。"号令以定，备守以具。

三国之兵乘晋阳城，遂战。三月不能拔，因舒军而围之，决晋水而灌之[17]。围晋阳三年，城中巢居而处，悬釜而炊，财食将尽，士卒病羸。襄子谓张孟谈曰："粮食匮，城力尽，士大夫病，吾不能守矣。欲以城下，何如？"张孟谈曰："臣闻之，亡不能存，危不能安，则无为贵知士也。君释此计，勿复言也。臣请见韩、魏之君。"襄子曰："诺。"

张孟谈于是阴见韩、魏之君曰："臣闻唇亡则齿寒，今知伯帅二国之君伐赵，赵将亡矣，亡则二君为之次矣。"二君曰："我知其然。夫知伯为人也，粗中而少亲，我谋未遂而知，则其祸必至，为之奈何？"张孟谈曰："谋出二君之口，入臣之耳，人莫之知也。"二君即与张孟谈阴约三军，与之期日，夜，遣入晋阳。张孟谈以报襄子，襄子再拜之。

张孟谈因朝知伯而出，遇知过辕门之外[18]。知过入见知伯曰："二主殆将有变。"君曰："何如？"对曰："臣遇张孟谈于辕门之外，其志矜，其行高。"知伯曰："不然。吾与二主约谨矣，破赵三分其地，寡人所亲之，必不欺也。子释之，勿出于口。"知过出见二主，入说知伯曰："二主色动而意变，必背君矣，不如令杀之。"知伯曰："兵箸晋阳三年矣[19]，旦暮当拔之而飨其利，乃有他心？不可，子慎勿复言。"知过曰："不杀则遂亲之。"知伯曰："亲之奈何？"知过曰："魏宣子之谋臣曰赵葭，韩康子之谋臣曰段规，是皆能移其君之计。君其与二君约，破赵则封二子者各万家之县一，如是则二主之心可不变，而君得其所欲矣。"知伯曰："破赵而三分其地，又封二子者各万家之县一，则吾所得者少，不可。"知过见君之不用也，言之不听，出，更其姓为辅氏，遂去不见。

张孟谈闻之，入见襄子曰："臣遇知过于辕门之外，其视有疑臣之心，入见知伯，出更其姓。今暮不击，必后之矣。"襄子曰："诺。"使张孟谈见韩、魏之君曰："夜期杀守堤之吏，而决水灌知伯军。"知伯军救水而乱，韩、魏翼而击之，襄子将卒犯其前，大败知伯军而禽知伯。

知伯身死，国亡地分，为天下笑，此贪欲无厌也。夫不听知过，亦所以亡也。知氏尽灭，唯辅氏存焉。

【注释】

①知伯：即智伯，姓荀，名瑶，晋六卿之一，封于智（今山西永济北）。范、中行氏：范吉射、中行寅，皆晋六卿之一。前458年，知、韩、赵、魏共分其地，范、中行氏亡。

②韩康子：名虎，晋卿。

③段规：郑共叔段之后，韩康子谋臣。

④鸷：凶狠。复：当作"愎"，任性，固执。

⑤魏宣子：鲍本"宣"作"桓"。名驹，晋卿。

⑥赵葭：魏桓子谋臣。

⑦蔡、皋狼：蔡，鲍本作"蔺"。皆赵邑，在今山西离石西。

⑧赵襄子：名无恤，赵鞅之子，晋六卿之一。

⑨张孟谈：赵襄子谋臣。

⑩董阏安于：赵氏家臣。按：据王念孙考证，"阏"与"安"为一字，一本作"阏"，一本作"安"，后人误合之。

⑪简主：即赵简子，名鞅，赵襄子之父。

⑫晋阳:在今山西太原南晋源镇。
⑬尹泽:赵臣,继董安于治晋阳。泽,据《韩非子》《国语》,当作“铎”。
⑭延陵王:赵襄子家臣。王,《韩非子》作“主”。
⑮狄:鲍本作“荻”,一种状似芦苇的草本植物。蒿:蒿草。苫:当是“苦”字之误。《韩非子》作“楛”,荆类灌木。楚:荆条。廧:同“墙”。
⑯箘簬:两种竹名,细长节稀,适于做箭杆。
⑰晋水:水名,源出晋阳西悬瓮山,东过锦阳,入汾水。
⑱知过:一作“知果”,知伯同族。
⑲箸:同“著”,附着,此指包围。

【译文】

知伯率领赵氏、韩氏、魏氏的军队攻打范氏和中行氏,灭掉了他们。休整了几年后,知伯派人向韩氏索取土地。韩康子不想给他,段规劝告说:“这样做不行。知伯的为人,贪得无厌而且凶狠固执,他派人来索取土地,如果不给,他一定会派兵来攻打我们韩氏。你还是给他吧。给了他,他就会习以为常,又会向别的国家索取土地。别的国家不答应,他一定会出兵攻打它;那样,我们就可以免遭灾难,再等待形势的发展变化。”韩康子说:“这办法好。”于是派遣使者送给知伯一座有万户居民的城邑。知伯很高兴,又派人向魏氏索取土地,魏桓子也想不给他。赵葭劝告说:“知伯向韩氏索取土地,韩康子给了他。现在向我们魏氏索取土地,魏氏却不给,那就是我们魏氏对内自恃强大,而对外却触怒了知伯。这样,知伯就一定会对我们用兵的。不如给他。”魏桓子说:“好吧。”于是也派人送给知伯一座有万户人家的城邑。知伯很高兴,又派人到赵氏那里去,索取蔺和皋狼两地,赵襄子不给。知伯就暗中联合韩氏和魏氏,准备攻打赵氏。

赵襄子召见张孟谈并告诉他说："知伯的为人，表面上跟人亲近，暗地里却对人疏远。他多次派人出使韩氏、魏氏，却不跟我交往，他要派兵攻打我们是肯定的了。如今我可以到哪里去安身呢？"张孟谈说："董安于是先君简子很有才干的臣子，一生治理晋阳，后尹泽又继承了他的事业。他在政治教化方面的影响还存在，你还是到晋阳去吧。"赵襄子说："好吧。"于是派遣延陵主率领车马先去晋阳，赵襄子随后跟去。到晋阳后，他巡视内外城墙，考查府库仓库，视察各处粮仓，召见张孟谈说："我们的城墙完好坚固，库房里的钱财足够使用，粮仓里的粮食也很充足，就是没有箭，怎么办？"张孟谈说："我听说董安于治理晋阳的时候，宫室的墙，都是用荻、蒿、楛、楚一类东西筑成的，高度有一丈多，你可以把它拆掉做箭杆。"于是他们把墙拆了，用那些材料做成箭杆。试了一下，它的坚固程度，即使用箘、簬等上等竹子做的箭的强劲程度也不能超过。赵襄子说："箭杆够用了，我们的铜还缺少，怎么办？"张孟谈说："我听说董安于治理晋阳的时候，宫室的房屋都是用精铜做

柱基的，可以拆下来使用，那就有用不完的铜了。”赵襄子说：“这个办法好。”于是发出号令，把防御的设备都准备齐全。

知伯和韩氏、魏氏的军队进攻晋阳城，战斗开始。用了三个月还不能攻下晋阳，于是知伯就摆开军队围城，并决开晋水淹灌晋阳。晋阳被包围了三年，城里的人在高处搭起窝棚来住，吊起锅来做饭，财物和粮食将要用完了，士兵身体瘦弱，有的病倒。赵襄子对张孟谈说：“粮食吃完了，财物用光了，官兵病倒了，我们不能再坚守了。我打算献城投降，你看怎么样？”张孟谈说：“我听说，国家将要灭亡却不能使它存在下去，遇到危险又不能使它安定，那要谋臣智士干什么呢！你放弃这个念头，不要再说了。请让我去见韩、魏两家君主。”赵襄子说：“好吧。”

张孟谈于是秘密去见韩康子和魏桓子，说：“我听说嘴唇没有了，牙齿就会寒冷。如今知伯带领你们来攻打赵氏，赵氏快要灭亡了。赵氏一灭亡，下面就要轮到你们了。”韩康子和魏桓子说：“我们知道事情会这样的。可是知伯的为人，性情粗暴而又不讲仁爱，如果我们的计谋还没有实行就被他知道了，那么灾祸必将临头，你看怎么办呢？”张孟谈说：“计谋从你们二位的嘴里说出来，进到我的耳朵里，别人不会知道的。”于是韩康子、魏桓子和张孟谈秘密地联合三国的军队，约定日期。当夜，就送张孟谈潜回到晋阳城。张孟谈把情况告诉了赵襄子，赵襄子拜了两拜向他道谢。

张孟谈与韩氏、魏氏订立盟约回去以后，又去进见知伯，出来的时候，在辕门外面碰见了知过。知过进去见知伯，对他说：“韩康子、魏桓子将要兵变。”知伯说：“你怎么知道的？”知过回答说：“我在辕门外面碰见了张孟谈，看他的心志骄傲，举步高远 。”知伯说：“不会这样。我和韩、魏二主的约定很郑重，攻破赵氏以后，三家平分赵地。这是我亲自和韩、魏两家约定的，他们肯定不会欺骗我。你放心吧，不要把话说出去。”知过出去，看见了韩康子和魏桓子，急忙进来劝知伯说：“我看韩康子、魏桓子神色有变，态度异常，肯定要背叛你，不如下令杀了他们。”知伯说：“我们的军队围困晋阳已经三年了，很快就能把它攻下来，分享好处了，这时难道能有别的想法吗？不可能，你不要再说了。”知过说：“不杀他们，那就亲近他们。”知伯说：“怎么亲近呢？”知过说：“魏桓子的谋臣名叫赵葭，韩康子的谋臣名叫段规，这两个人都能使他们的主子改变主意。你可以和韩、魏二主约定，攻破赵氏就封给赵葭、段规每人一个有万户人家的县城。这样，韩、魏二主就不会变心，你也就能够得到自己想要的土地了。”知伯说：“攻破赵氏，三家平分他的领地，假如再封给他们二人每人一个有万户人家的县城，那我所得到的土地就更少了，这可不行！”知过见知伯不采纳自己的意见，自己说的话他也不听，就告辞出来，改姓辅氏，从此离开知伯，不再露面。

张孟谈听说了这件事，去见赵襄子说：“我在辕门外面见到了知过，他的目光露出对我的疑心，他进去见知伯，出来以后就把他的姓改了。今天晚上如不袭击知伯，肯定要来不及了。”赵襄子说：“好吧。”就派张孟谈去见韩康子和魏桓子说：“约定今天夜里杀掉守堤的官吏，并决堤放水冲淹知伯的军队。”知伯的军队忙于救水而乱作一团，韩、魏两家的军队从两边夹攻知伯军，赵襄子率军从正面进攻，把知伯军打得大败，并擒获了知伯。

知伯身死，家族灭亡，领地被赵、韩、魏三家瓜分，还遭到天下人的耻笑，这是因为他贪得无厌的缘故。不听知过的劝告，也是他灭亡的原因。知氏家族全部被灭，只有辅氏一支还存于世。

武灵王平昼闲居

【题解】

本文选自《赵策二》。内容又见《史记·赵世家》。

赵武灵王是一位雄才大略的政治家，在列国纷争、兼并战争极其尖锐、激烈的情况下，登上政治舞台。当时，赵国的东、西、北三面被齐、中山、燕、东胡、楼烦、秦、韩等国包围着，受到很大威胁。赵武灵王分析了当时的形势，决定实行胡服骑射，以增强国防力量。这遭到以公子成为代表的守旧势力的反对，他们以华夏正宗、古法古教不可变为理由反对改革。赵武灵王针锋相对，提出了"理世不必一道，便国不必法古"、"观时而制法，因事而成礼"的进步观点，驳斥了守旧贵族的保守思想，冲破了种种阻力，终于取得了改革的成功。

【原文】

武灵王平昼闲居[①]，肥义侍坐[②]，曰："王虑世事之变，权甲兵之用，念简、襄之迹[③]，计胡、狄之利乎[④]？"王曰："嗣立不忘先德，君之道也；错质务明主之长[⑤]，臣之论也。是以贤君静而有道民便事之教，动有明古先世之功。为人臣者，穷有弟长辞让之节[⑥]，通有补民益主之业。此两者，君臣之分也。今吾欲继襄主之业，启胡、翟之乡，而卒世不见也。敌弱者，用力少而功多，可以无尽百姓之劳，而享往古之勋。夫有高世之功者，必负遗俗之累；有独知之虑者，必被庶人之怨。今吾将胡服骑射以教百姓，而世必议寡人矣。”

肥义曰：“臣闻之，疑事无功，疑行无名。今王即定负遗俗之虑，殆毋顾天下之议矣。夫论至德者，不和于俗；成大功者，不谋于众。昔舜舞有苗[⑦]，而禹袒入裸国[⑧]，非以养欲而乐志也，欲以论德而要功也。愚者暗于成事，智者见于未萌，王其遂行之。”王曰：“寡人非疑胡服也，吾恐天下笑之。狂夫之乐，知者哀焉；愚者之笑，贤者戚焉。世有顺我者，则胡服之功未可知也。虽驱世以笑我[⑨]，胡地中山吾必有之。”

王遂胡服。使王孙绁 (xiè) 告公子成曰[⑩]：“寡人胡服，且将以朝，亦欲叔之服之也。家听于亲，国听于君，古今之公行也；子不反亲，臣不逆主，先王之通谊也。今寡人作教易服，而叔不服，吾恐天下议之也。夫制国有常，而利民为本；从政有经，而令行为上。故明德在于论贱，行政在于信贵。今胡服之意，非以养欲而乐志也。事有所出，功有所止。事成功立，然后德且见也。今寡人恐叔逆从政之经，以辅公叔之议。且寡人闻之：‘事利国者行无邪，因贵戚者名不累。’故寡人愿募公叔之义，以成胡服之功。使绁谒之叔，请服焉。”

公子成再拜曰："臣固闻王之胡服也，不佞寝疾[11]，不能趋走，是以不先进。王今命之，臣固敢竭其愚忠。臣闻之：'中国者[12]，聪明睿知之所居也，万物财用之所聚也，圣贤之所教也，仁义之所施也，《诗》《书》《礼》《乐》之所用也，异敏技艺之所试也。远方之所观赴也，蛮夷之所义行也。'今王释此，而袭远方之服，变古之教，易古之道，逆人之心，畔学者，离中国，臣愿大王图之。"

使者报王。王曰："吾固闻叔之病也。"即之公叔成家，自请之曰："夫服者，所以便用也；礼者，所以便事也。是以圣人观其乡而顺宜，因其事而制礼，所以利其民而厚其国也。被发文身，错臂左衽，瓯越之民也[13]。黑齿雕题，鳀(tí)冠秫缝[14]，大吴之国也。礼服不同，其便一也。是以乡异而用变，事异而礼易。是故圣人苟可以利其民，不一其用；果可以便其事，不同其礼。儒者一师而礼异，中国同俗而教离，又况山谷之便乎[15]？故去就之变，知者不能一；远近之服，圣贤不能同。穷乡多异，曲学多辨。不知而不疑，异于己而不非者，公于求善也。今叔之所言者，俗也。吾之所言者，所以制俗也。今吾国东有河、薄洛之水[16]，与齐、中山同之，而无舟楫(jí)之用。自常山以至代、上党[17]，东有燕、东胡之境[18]，西有楼烦、秦、韩之边[18]，而无骑射之备。故寡人且聚舟檝之用，求水居之民，以守河、薄洛之水；变服骑射，以备其参胡、楼烦、秦、韩之边。且昔者简主不塞晋阳，以及上党，而襄主兼戎取代，以攘诸胡，此愚知之所明也。先时中山负齐之强兵，侵掠吾地，系累吾民，引水围鄗(hào)，非社稷之神灵，即鄗几不守。先王忿之，其怨未能报也。今骑射之服，近可以备上党之形，远可以报中山之怨。而叔也顺中国之俗以逆简、襄之意，恶变服之名，而忘国事之耻，非寡人所望于子！”

公子成再拜稽首曰：“臣愚不达于王之议，敢道世俗之闻。今欲继简、襄之意，以顺先王之志，臣敢不听令？”再拜，乃赐胡服。

赵文进谏曰[21]：“农夫劳而君子养焉，政之经也。愚者陈意而知者论焉，教之道也。臣无隐忠，君无蔽言，国之禄也，臣虽愚，愿竭其忠。”王曰：“虑无恶扰，忠无过罪，子其言乎！”赵文曰：“当世辅俗，古之道也。衣服有常，礼之制也。修法无愆，民之职也。三者，先圣之所以教。今君释此，而袭远方之服，变古之教，易古之道，故臣愿王之图之。”王曰：“子言世俗之间。常民溺于习俗，学者沉于所闻。此两者，所以成官而顺政也，非所以观远而论始也。且夫三代不同服而王，五伯不同教而政。知者作教，而愚者制焉。贤者议俗，不肖者拘焉。夫制于服之民，不足与论心；拘于俗之众，不足与致意。故势与俗化，而礼与变俱，圣人之道也。承教而动，循法无私，民之职也。知学之人，能与闻迁；达礼之变，能与时化。故为己者不待人，制今者不法古，子其释之。”

赵造谏曰：“隐忠不竭，奸之属也。以私诬国，贱之类也[22]。犯奸者身死，贱国者族宗。此两者，先圣之明刑，臣下之大罪也。臣虽愚。愿尽其忠，无遁其死。”王曰：“竭意不讳，忠也。上无蔽言，明也。忠不辟危，明不距人。子其言乎！”

赵造曰：“臣闻之，圣人不易民而教，知者不变俗而动。因民而教者，不劳而成功；据俗而动者，虑径而易见也。今王易初不循俗，胡服不顾世，非所以教民而成礼也。且服奇者志淫，俗辟者乱民，是以莅国者不袭奇辟之服，中国不近蛮夷之行，非所以教民而成礼者也[23]。且循法无过，修礼无邪，臣愿王之图之。”

王曰：“古今不同俗，何古之法？帝王不相袭，何礼之循？宓戏、神农教而不诛[24]，黄帝、尧、舜诛而不怒。及至三王，观时而制法，因事而制礼，法度制令，各顺其宜；衣服器械，各便其用。故礼世不必一其道[25]，便国不必法古。圣人之兴也，不相袭而王。夏、殷之衰也，不易礼而灭。然则反古未可非，而循礼未足多也。且服奇而志淫，是邹、鲁无奇行也[26]；俗辟而民易，是吴、越无俊民也[27]。是以圣人利身之谓服，便事之谓教，进退之谓节，衣服之制，所以齐常民，非所以论贤者也。故圣与俗流，贤与变俱，谚曰：'以书为御者，不尽于马之情。以古制今者，不达于事之变。'故循法之功，不足以高世；法古之学，不足以制今。子其勿反也。"

【注释】

①武灵王：赵肃侯之子，名雍，前 325 ～前 299 年在位。

②肥义：赵臣，武灵王时为相国。

③简：即赵简子，又称简主。襄：即赵襄子，又称襄主。

④胡、狄：泛指我国古代北方少数民族。狄，亦作"翟"。

⑤错质：委质，指献身为臣。错，通"措"，放置。

⑥穷：不得志。弟：同"悌"，尊敬兄长。

⑦有苗：亦称三苗，古代部落名，在今湖南溪洞一带。"舜舞有苗"的故事，见《韩非子·五蠹》。

⑧裸国：指尚未开化、不知穿衣的原始部落。“禹袒入裸国”的故事，见《淮南子·原道训》。
⑨驱世：即举世。
⑩公孙绁：赵国贵族。公子成：赵肃侯之子，武灵王之弟。
⑪不佞：不才，自谦之词。
⑫中国：中原地区。
⑬瓯越：古代民族名，又称“东瓯”，越人的一支，分布在今浙江南部和福建一带。
⑭鳀冠：大鲇鱼皮做的帽子。秫缝：用长针缝制的衣服。
⑮便：通“辨”，区别。
⑯薄洛：水名，指古漳水流经今河北钜鹿和平乡县东境的一段。
⑰常山：即恒山，在今河北曲阳西北与山西接壤处。代：郡名，在今山西东北部和河北蔚县一带。
⑱东胡：古族名，在我国古代东北部，居匈奴之东，故名。
⑲楼烦：古族名，以游牧为主，善骑射，在今山西宁武一带，后为赵武灵王所灭。
⑳鄗：赵邑，在今河北高邑东。
㉑赵文：和下文的赵造皆赵国贵族。
㉒贱：一本作“贼”，邪恶，不正派。下句“贱国者族宗”中的“贱”亦作“贼”，危害。
㉓非所以教民而成礼也：此句疑因上而衍。
㉔宓戏：即伏羲，亦称庖牺，传说中的人类始祖。
㉕一其道：一本无“其”字。
㉖邹、鲁无奇行：邹、鲁人冠顶长缨，可谓奇服，但却产生孔子、孟子、颜回、曾子等有“奇行”的人。

㉗吴、越无俊民：吴、越出现过季札、大夫种这些智多的人。

【译文】

赵武灵王平日避人闲居，肥义陪同在旁边坐着，说："大王是在考虑世事的变动，权衡武力的运用，想着继承简子、襄子的功业，计算胡、狄地区富饶的资源吗？"赵武灵王说："继承君位不忘祖先的功业，这是做国君所遵循的准则；献身为臣务必显示君主的长处，这是做臣子所遵守的本分。因此贤明的君主平时就要有引导人民利国行事的政教，战时就要有显扬古人超越世人的功劳。做人臣的，在不得志时要有尊敬长辈谦虚退让的品德，在地位显达时要有补益人民辅佐国君的功业。这两条是做国君和大臣的本分。现在我想继承襄主的功业，开发胡、狄所居住的地区，而担心一辈子也不被人理解。与弱者为敌，用的力气少而功劳多，可以不耗尽老百姓的劳力，而得到简子、襄子的功勋。大凡有盖世功业的人，一定遭受世人的非议；有独到见解的人，一定遭受众人的埋怨。现在我要教导百姓穿胡人的服装、学习骑马射箭，这样一来，世人一定会议论我了。"

肥义说："我听说，做事犹豫不定就不能成功，行动迟疑不决就不能成名。现在大王既然下定脱离世俗的决心，就一定不要顾及天下人的议论了。凡讲求最高道德的人，不附和世俗；成就伟大功业的人，不同一般人商量。从前舜曾在宫廷上表演苗族的舞蹈，禹曾光着身体进入不穿衣服的部落，这不是为了放纵他们的欲望而使他们心里快乐，而是随俗而行，打算用讲求德教而求取成功。愚笨的人对条件已经成熟的事情也看不清，聪明的人在事情还没有发生时就能觉察到，请大王就实行胡服骑射吧。"赵武灵王说："我不是怀疑穿胡服，而是恐怕天下人讥笑。狂妄的人快乐，聪明的人替他悲哀；愚蠢的人欢乐，有才能的人替他忧愁。世上的人如果有依从我主张的，那么胡服的功效是无法估量的。即使让世上的人都来讥笑我，胡地和中山国也一定归我所有。”

赵武灵王于是穿上了胡服。派王孙绁告诉公子成说：“我已穿上胡服，并且将穿着它上朝，希望王叔也穿上胡服。家庭的事听从父母，国家的事听从君主，这是从古到今公认的德行；做儿女的不违犯父母的教训，做臣子的不抗拒国君的命令，这是先王就有的一般道理。现在我发布命令改穿胡服，而如果王叔不穿，我怕天下的人会议论这件事。要知道治理国家有一定的常规，而以有利于人民为根本；参与政事有一定的原则，而以执行命令为重要。所以修明德政要考虑百姓利益，执行政令要使贵族信服。现在改穿胡服的意旨，不是为了放纵欲望，怡乐心志。事情有成功的原因，功业有达到至善的道理。事情成功了，功业建立了，然后功德才能显露出来。现在我恐怕王叔违犯从政的原则，所以说以上这些话供您考虑。并且我听说：‘有利于国家的事，行为就正当；依靠贵戚办的事，名声就不会受到损害。’所以我希望仰仗王叔的声望，来完成穿胡服的功业。特地派王孙绁去拜访王叔，请王叔改穿胡服吧。”

公子成拜了两拜说：“我本来就听说君王穿胡服的消息了，只是不才卧病在床，没能及早去看望你，因此没有先提供意见。君王现在命令我改穿胡服，我当然要冒昧地尽自己一点忠心。我听说：‘中原地区，是聪明智慧、见识高明的人居住的地方，是各种物资、财物积聚的地方，是道德高尚的圣贤所曾教化过的地方，是仁义道德所施行的地方，是读《诗》《书》《礼》《乐》的地方，是各种精妙技艺所试用的地方，是边远国家前来参观学习的地方，是四方蛮夷应当效法的地方。’现在君王放弃这些优良传统，而采用边远地方的服装样式，改变古人的礼教，更改古代的准则，违背了人民的意愿，背叛了古先王的教化，脱离了中原的传统，我希望大王仔细考虑一下这件事。”

使者回来向赵王作了汇报。武灵王说：“我早就听说王叔患病了。”就到公叔成家去，亲自告诉他说：“穿衣服是为了便于使用，制礼法是为了便于做事。因此圣人总是观察当地的具体情况自上而下地采取适当的措施，根据做事方便而制订可行的礼法，这是用它来方便百姓并使他的国家富裕兴旺啊。披散着头发，身上刺上花纹，交叉着双臂，衣襟向左开，这是瓯越一带人民的风俗。用草浆把牙齿染黑，在额头上雕刻花纹用丹青涂染，戴着大鲇鱼皮制成的帽子，穿着粗针大线缝制的衣服，这是太伯建立的吴国的风俗。礼制和服饰不同，而利国便民的原则是一样的。因此，地区不同，采用的措施就要变化；事情不同，礼法也要更改。所以，即使是圣人，如果能够对百姓有利，他采用的措施也不是一成不变的；如果可以方便政事，他使用的礼法就不要求和原定的相同。儒家学者出自孔子一个老师，而各人所主张的礼法细节不相同；中国有大体相同的风俗，而各地的教化不一致，又何况高山与河谷有区别呢？所以对事物的选择和取舍，聪明的人也不能一成不变；各地区、各时代的服装，圣贤也不能使它统一。偏僻地方的风俗多有不同，邪曲的学问常有诡辩，自己不了解的事情就不随便怀疑，对与自己意见不同的主张而不轻易非难，这是大公无私、追求真理的态度。现在王叔所说的，是世俗的主张。我所说的，是改革旧习俗的主张。现在我国东边有黄河、漳水，同齐国、中山国共有，而我们却没有船只对这些河流充分利用。从常山到代郡、上党郡，东面同燕国、东胡为邻，西边跟楼烦、秦国、韩国接壤，但没有骑兵和射手的装备。所以我要聚积船只加以利用，号召生长在水边的人民，来防守黄河、漳河；改变服装，训练骑马、射箭，来防备燕国、东胡、楼烦、秦国、韩国侵犯我们的边境。况且，从前简主不把自己禁锢在晋阳，而到达上党一带，襄主兼并了戎狄，取得代地，驱逐了胡人，这是不论愚蠢的还是聪明的人都清楚的。从前中山国仗恃齐国的强大兵力，侵扰掠夺我国的土地，掳走我国的人民，引水围困我国的鄗城，如果不是祖先的神灵保佑，那么鄗城也几乎不能守住。先王对此感到愤怒，但怨仇没能报啊。今改穿便于骑马射箭的胡服，近可以扼守上党形势险要之地，远可以报中山国侵地扰民之仇，而你偏顺从中原的旧俗，违背简主、襄主的意愿，厌恶改变服装的措施，却忘记了国家的耻辱，这不是我对你抱的希望啊！”

公子成拜了两拜，又磕头说：“我愚昧无知，不了解大王实行胡服的意图，竟敢讲些世俗的话给你听。从今往后要继承简主、襄主的意愿，顺从先王的意志，我怎敢不听你的命令呢！”又拜了两拜。赵王于是赐给他胡服。

赵文前来劝谏说：“农夫辛勤劳作而君子得到供养，这是治理国家的常规。愚昧的人陈述意见而明智的人加以论定，这是处理问题的方法。臣子不隐瞒忠心，君主不闭塞言路，这是国家的福分。我虽然愚笨，但愿竭尽自己的忠心。”赵武灵王说：“谋划问题不忌讳不同意见，竭尽忠心不追究过失，你就说吧。”赵文说：“顺应世情，附和风俗，是自古以来的法则。衣服有一定的款式，这是礼法的规定。遵循法规，不犯错误，这是百姓的职责。这三个方面，是先前的圣人所教导我们的。如今君王丢开这些，而袭用远方民族的服饰，改变古人的礼教，更改古代的准则，所以我希望大王认真考虑这事。”赵武灵王说：“你说的是世俗的言论。一般百姓沉溺于旧的风俗习惯，平庸的学者拘泥于传统学说。这两种人只能谨守职责、遵守政令，是不能高瞻远瞩、研讨创新的。再说夏、商、周三代服饰不同而都拥有天下，春秋五霸政教不同而都能治理好国家。聪明的人制定政教，而愚昧的人被政教控制。贤明的人议论风俗，愚笨的人被习俗约束。那些受世俗制约的人，不能和他们交流思想；那些拘泥于风俗的人，不能和他们取得共识。所以习俗要随着形势变化，而礼制要和变化了的情况一起变，这是圣人治国的原则。根据国家的政教而采取行动，遵循法令而排除私心，这是老百姓的本分。有学问的人能随着新的见闻而改变观点；通晓礼法变化的人，能随着时代的变化而变化。所以有志修身的人不依赖别人，能把握现实的人不效法古代，请你放弃自己的观点吧。"

赵造劝谏说："隐瞒真心而不竭尽忠诚，是奸臣一类的人；为了私利而欺骗国家，是民贼一类的人。犯了奸佞罪的人判处死罪，危害国家的人诛灭宗族。犯这两种罪的人，先王有明文要判刑，是做臣子的大罪。我虽然愚笨，但愿尽自己的忠心，绝不怕死。"赵武灵王说："把自己的意见全说出来而不加隐讳，这就是尽忠；国君不堵塞言路，这就是英明。忠心就不害怕危险，英明就不拒绝臣下发表意见。你就说吧。"

赵造说："我听说，圣人不改变人民的要求而进行教化，明智的人不变更风俗而治理国家。根据人民的要求进行教化，不用费力就能收到成效；依据风俗治理国家，考虑问题直接方便，做起来容易见效。现在大王改变原来的服饰而不遵循风俗，改穿胡服而不顾世人的议论，这不是教育人民、建立礼制的做法。况且服饰奇异使人心思不正，风俗怪僻会扰乱民心。因此做国君的人不袭用奇特的服饰，中原地区不效法蛮夷的邪僻行为。而且，遵循礼法不会有过错，遵循礼俗不会生邪念。我希望大王慎重考虑这件事。"

赵武灵王说："从古到今的习俗不同，我们效法哪一个古代的习俗？帝王的礼法也不是代代相因袭的，我们遵循哪代的礼法？伏羲氏、神农氏对人民只教育不刑杀，黄帝、唐尧、虞舜对人民用刑罚但有节制。到夏禹、商汤、周文王时，观察当时的形势来制定法令，根据当时的情况来制定礼俗；法度、政令，都顺应时代的实际而制定；衣服、器用，都方便实际使用。所以治理国家，不必使用一种办法；只要对国家有利，不一定要效法古代。圣人的兴起，不是互相承袭才称王的；夏朝和殷朝衰落的时候，不是因为他们改变礼法而灭亡的。那么，违背古代的做法，未必一定要非难；遵循旧的礼法，也未必值得称赞。再说，如果服饰奇特就会使人心思不正，那么最遵守礼法的邹国和鲁国就不会有行为邪僻的人了；如果习俗怪异就会使百姓变坏，那么有奇风异俗的吴、越两国就不会出现俊杰人士了。因此，圣人把有利于保护身体的就叫服，把方便做事的就叫教，进退有度就叫节，衣服的制度，是为了让普通百姓整齐一致，而不是用来评论贤能的。所以，圣人随着当时的习俗行动，贤人随变化了的情况而变化。谚语说：'按照书本上的方法来驾车的人，不能了解马的全部实际情况；用古代的礼法来治理当今的国家，不能符合社会变化的实际情况。'所以，遵循现成的礼法建立的功业，不可能超越当世；效法古代的做法，不能够治理当今的国家。你还是不要反对吧。”

秦攻赵于长平

【题解】

本文选自《赵策三》。内容又见《史记·虞卿列传》和《新序·善谋九》。

秦国在长平之战中打败赵军后，又乘机向赵国索取六城作为媾和的条件，并派楼缓用花言巧语诱骗赵王上当。赵国大臣虞卿识破敌人阴谋，他深刻地分析了敌我双方形势，指出割地求和是“自尽之术”，只有坚持斗争，才有出路，终于说服了赵王，拒绝割地。本篇记述了双方围绕割地赂秦问题展开的辩论。他们都运用“辩论和反驳”的方法，阐明自己的观点，针锋相对，层层深入，虞卿的反驳更是理直气壮，很有说服力。

【原文】

秦攻赵于长平[①]，大破之，引兵而归。因使人索六城于赵而讲[②]。赵计未定。楼缓新从秦来[③]，赵王与楼缓计之曰[④]：“与秦城何如？不与何如[⑤]？”楼缓辞让曰：“此非人臣之所能知也。”王曰：“虽然，试言公之私。”楼缓曰：“王亦闻夫公甫文伯母乎[⑥]？公甫文伯官于鲁，病死。妇人为之自杀于房中者二八。其母闻之，不肯哭也。相室曰[⑦]：‘焉有子死而不哭者乎？’其母曰：‘孔子，贤人也，逐于鲁，是人不随。今死，而妇人为死者十六人。若是者，其于长者薄，而于妇人厚？'故从母言之，之为贤母也；从妇言之，必不免为妒妇也。故其言一也，言者异，则人心变矣。今臣新从秦来，而言勿与，则非计也；言与之，则恐王以臣之为秦也。故不敢对。使臣得为王计之，不如予之。"王曰："诺。"

虞卿闻之[8]，入见王，王以楼缓言告之。虞卿曰："此饰说也。"秦既解邯郸之围，而赵王入朝，使赵郝约事于秦，割六县而讲[9]。王曰："何谓也？"虞卿曰："秦之攻赵也，倦而归乎？王以其力尚能进，爱王而不攻乎？"王曰："秦之攻我也，不遗余力矣，必以倦而归也。"虞卿曰："秦以其力攻其所不能取，倦而归。王又以其力之所不能攻以资之，是助秦自攻也。来年秦复攻王，王无以救矣。"

王又以虞卿之言告楼缓。楼缓曰："虞卿能尽知秦力之所至乎？诚知秦力之不至，此弹丸之地，犹不予也，令秦来年复攻王，得无割其内而媾乎？"王曰："诚听子割矣，子能必来年秦之不复攻我乎？"楼缓对曰："此非臣之所敢任也。昔者三晋之交于秦，相善也。今秦释韩、魏而独攻王，王之所以事秦必不如韩、魏也。今臣为足下解负秦之攻，启关通敝[10]，齐交韩、魏。至来年而王独不取于秦，王之所以事秦者，必在韩、魏之后也。此非臣之所敢任也。”

王以楼缓之言告。虞卿曰：“楼缓言不媾，来年秦复攻王，得无更割其内而媾。今媾，楼缓又不能必秦之不复攻也，虽割何益？来年复攻，又割其力之所不能取而媾也，此自尽之术也。不如无媾。秦虽善攻，不能取六城；赵虽不能守，而不至失六城。秦倦而归，兵必罢。我以五城收天下以攻罢秦，是我失之于天下，而取偿于秦也。吾国尚利，孰与坐而割地，自弱以强秦？今楼缓曰：‘秦善韩、魏而攻赵者，必王之事秦不如韩、魏也。’是使王岁以六城事秦也，即坐而地尽矣。来年秦复求割地，王将予之乎？不与，则是弃前贵而挑秦祸也[11]；与之，则无地而给之。语曰：‘强者善攻，而弱者不能自守。’今坐而听秦，秦兵不敝而多得地，是强秦而弱赵也。以益愈强之秦，而割愈弱之赵，其计固不止矣。且秦虎狼之国也，无礼义之心。其求无已，而王之地有尽。以有尽之地，给无已之求，其势必无赵矣。故曰：此饰说也。王必勿与。”王曰：“诺。”

楼缓闻之，入见于王，王又以虞卿言告之。楼缓曰：“不然，虞卿得其一，未知其二也。夫秦、赵构难，而天下皆说，何也？曰：‘我将因强而乘弱。’今赵兵困于秦，天下之贺战者，则必尽在于秦矣。故不若亟割地求和，以疑天下，慰秦心。不然，天下将因秦之怒，秦赵之敝而瓜分之[12]。赵且亡，何秦之图？王以此断之，勿复计也。"

虞卿闻之，又入见王曰："危矣，楼子之为秦也！夫赵兵困于秦，又割地为和，是愈疑天下，而何慰秦心哉？是不亦大示天下弱乎？且臣曰勿予者，非固勿予而已也。秦索六城于王，王以五城赂齐。齐、秦之深仇也，得王五城，并力而西击秦也，齐之听王，不待辞之毕也。是王失于齐而取偿于秦，一举结三国之亲，而与秦易道也。"赵王曰："善。"因发虞卿东见齐王，与之谋秦。

虞卿未反，秦之使者已在赵矣。楼缓闻之，逃去。

【注释】

①长平：赵邑，在今山西高平西北。前260年，秦大将白起在长平大败赵军，坑杀战俘四十余万人。

②讲：同"媾"，媾和。

③楼缓：赵人，时为秦臣。

④赵王：赵孝成王，名丹，时当其七年。

⑤不与何如：据王念孙考证，本无"何如"二字，后人误加。

⑥公甫文伯：春秋时鲁国季康子的叔伯兄弟，名歜(chù)，鲁定公的大夫。

⑦相室：随嫁的妇女。

⑧虞卿：赵臣，赵孝成王时为上卿，名失传，著《虞氏春秋》。
⑨"秦既"至"而讲"：此二十四字为衍文，译文未译。
⑩通敝：通使。敝，当作"币"，礼物。
⑪贵：鲍本作"资"，译文从鲍本。
⑫秦：鲍本作"乘"，译文从鲍本。

【译文】

秦国在长平攻打赵国，大败赵军，收兵回国。秦国借此派人向赵国索取六座城邑作为讲和的条件。赵国还没有拿定主意。楼缓刚从秦国来到赵国，赵孝成王就和楼缓商量这件事，说："割给秦国六城会怎样？不割会怎样？"楼缓推辞谦让说："这不是我所能知道的。"赵孝成王说："即使这样，请你谈谈个人的意见吧。"楼缓说："大王也曾听说过公甫文伯的母亲吧？公甫文伯在鲁国做官，病死了。妻妾在房里为他自杀的有十六人。他的母亲听说后，不肯为他哭泣。随嫁来的妇人说：'哪有儿子死了，母亲不哭的呢？'公甫文伯的母亲说：'孔子是位贤人，被鲁国驱逐出境，他不跟随孔子走。现在他死了，妻妾为他死的有十六人，像这样的话，不是说明他对有才德的人轻视，而对妻妾看重吗？'这话，从他母亲的嘴里说出，表明这是位贤良的母亲；但从妻妾的嘴里说这样的话，就不免是一位妒忌的妇人了。所以，话是一样的，因为说的人不同，那么表现出来的看法也就不同。现在我刚从秦国来，如果说不割城给秦国，那不是好主意；如果说割城给秦国，那么又担心大王认为我是为秦国说话。所以我不敢回答。假使我能够为大王出主意的话，不如割城给秦国。"赵孝成王说："好吧。"

虞卿听说了这件事，就进宫去拜见赵孝成王，赵王把楼缓的话告诉他。虞卿说："这是用巧辩来掩饰真情的话。"赵孝成王说："为什么这样说呢？”虞卿说："秦国攻打赵国，是因为他们的部队疲乏了才回国，还是大王认为他们的兵力还能继续进攻，只是出于爱护大王而不进攻的呢？”赵王说："秦国攻打我国，可以说是不遗余力了，一定是因为部队疲乏了才回国的。”虞卿说："秦国用它的兵力攻打他不能攻取的地方，疲倦后回国。现在大王又拿它用兵力所不能攻取的城邑去资助它，这是帮助秦国来攻打自己啊。明年秦国又来攻打赵国，大王就没有办法解救了。”

赵王把虞卿的话告诉了楼缓。楼缓说："虞卿能够完全知道秦国兵力所达到的程度吗？如果确实知道秦国的兵力不能攻取六座城邑，那么，即使是弹丸那么大的地方也不给它。假使秦国明年又来攻打赵国，是不是又要割让赵国内地的城邑来讲和呢？”赵王说："如果听你的意见割让了城邑，你能肯定明年秦国不再来攻打我国吗？”楼缓回答说："这不是我敢担保的。从前，韩、赵、魏三国与秦国结交，互相亲善。现在，秦国丢开韩、魏，却单单攻打赵国，一定是大王奉承秦国不如韩、魏两国了。现在我为您解除因背弃秦国而遭受的进攻，开放关防，互通使节，使赵国与韩、魏两国同秦国的交情一样。如果到了明年，大王还是不能取悦于秦国，那么，一定是大王奉承秦国落在韩、魏两国后面了。所以这不是我所敢担保的。”

赵王把楼缓的话告诉了虞卿，虞卿说："楼缓说如果不和秦国讲和，明年秦国又来攻打赵国，能不又割让赵国内地的城邑去讲和吗？如果现在讲和，楼缓又不能肯定秦国不再来攻打赵国，那么，即使割让了城邑，又有什么好处呢？假使明年秦国再来进攻赵国，赵国又割让它用兵力不能攻取的城邑来讲和，这是自取灭亡的做法。还不如不跟秦国讲和。秦国虽然善于攻战，也不能攻取我国六座城邑；赵国即使不能防守，也不至于丢失六座城邑。秦国因为打得疲倦了而撤军回国，它的军队一定很疲惫。如果我们拿出五座城邑来收买天下诸侯，去攻打疲惫的秦国，这样我们虽然失去五座城邑给了诸侯，但可从秦国那里得到补偿。这对我们赵国还是有利的，这和等着割地，削弱自己来加强秦国相比，哪个办法更好呢？现在楼缓说：'秦国和韩、魏两国友好而攻打赵国，一定是大王奉承秦国不如韩、魏两国。'这是让大王每年拿出六座城邑去奉承秦国，也就是等着把土地丢尽了。等到明年秦国再要求割让土地，大王打算给它吗？如果不给，就是前功尽弃而挑起秦国攻打赵国的灾祸；如果给它，又没有那么多的土地可给。俗话说：'兵力强的善于攻战，而兵力弱的又不能自我防守。'现在坐等着听凭秦国摆布，秦国军队不疲劳就能得到大量土地，这是使秦国更强大而使赵国更削弱啊。因为加强了越来越强大的秦国而侵割了越来越弱的赵国，秦国这种侵吞赵国的计谋当然不会停止了。再说，秦国是像虎狼那样凶狠残暴的国家，没有礼义之心。它的欲望是没有止境的，而大王的国土可是有限的。拿有限的国土去满足没有止境的欲望，那就势必让赵国灭亡了。所以说，他这是用巧辩来掩饰真情的话。大王一定不要割让土地给秦国。"赵王说："好吧。"

楼缓听说这些话后，进宫拜见赵王，赵王又把虞卿的话告诉给他。楼缓说："不是这样。虞卿只知其一，不知其二。秦、赵两国交战，天下诸侯都高兴，为什么呢？他们会说：'我将凭借强国来欺侮弱国。'如今赵国军队被秦国军队困扰，天下诸侯祝贺战争胜利的一定都在秦国了。所以，不如赶紧向秦国割地求和，以此使天下诸侯疑惑，也使秦国心安。不这样的话，天下诸侯将利用秦国的恼怒，趁着赵国的疲惫来瓜分赵国。赵国将要灭亡了，还怎么图谋秦国呢？大王就此决断吧，不要再想别的办法了。"

虞卿听了楼缓的话后，又进宫见赵王说：“危险了，楼先生是在为秦国着想！赵国军队被秦国所困，又向秦国割地求和，这使天下诸侯更加疑心，又怎么能使秦国心安呢！这不是把赵国的软弱完全暴露给天下诸侯吗？况且我说不割给他土地，也不是坚持不割给它就完了。秦国向大王索取六座城邑，大王可以拿出五座城邑来赠送给齐国。齐国是秦国仇恨很深的敌人，它得到大王的五座城邑，就可以和赵国同心协力向西攻打秦国，齐国不等我们把话说完，就会听从大王的。大王失地给齐国，却可以从秦国那得到补偿，可以一下子和韩、魏、齐三国结成友好关系，而与秦国的处境就不一样了。”赵王说：“好。”于是派虞卿往东去拜见齐王建，和他谋划对付秦国。

虞卿还没有从齐国回来，秦国的使者已经来到赵国了。楼缓听说后，便从赵国逃走了。

秦围赵之邯郸

【题解】

本文选自《赵策三》。内容又见《史记·鲁仲连列传》。

战国后期,秦国日益强大,企图以武力征服诸侯。前260年,秦军在长平大败赵军,赵国实力削弱。随后,秦又派兵直扑赵国都城邯郸,赵国向魏国求救。魏王虽派晋鄙率十万大军救赵,但因害怕秦国而留驻边境荡阴,并派辛垣衍去劝说赵国尊秦为帝,企图以此解围。这时,正在赵国的鲁仲连挺身而出,仗义执言,反对投降,主张抗秦,与"帝秦派"辛垣衍展开了一场激烈的辩论。他剖析了侵略者的本性,以大量无可辩驳的历史事实论证了"帝秦"的危害,终于说服了辛垣衍,从而坚定了赵国抗秦的决心和信心。后在魏、楚援军的支援下,迫使秦军退去。本文紧扣论题展开叙说,并用比喻阐明观点,生动地刻画了齐国高士鲁仲连这一人物形象,突出了他坚持正义、反对侵略及事成之后又不居功受赏的高贵品质。

【原文】

秦围赵之邯郸①。魏安釐(xī)王使将军晋鄙救赵②。畏秦,止于荡阴③,不进。魏王使客将军辛垣衍间入邯郸④,因平原君谓赵王曰⑤:"秦所以急围赵者,前与齐闵王争强为帝⑥,已而复归帝,以齐故。今齐闵王已益弱⑦。方今唯秦雄天下,此非必贪邯郸,其意欲求为帝。赵诚发使尊秦昭王为帝，秦必喜，罢兵去。”平原君犹豫未有所决。

此时鲁仲连适游赵，会秦围赵。闻魏将欲令赵尊秦为帝，乃见平原君曰：“事将奈何矣？”平原君曰：“胜也何敢言事？百万之众折于外，今又内围邯郸而不能去。魏王使客将军辛垣衍令赵帝秦。今其人在是，胜也何敢言事？”鲁仲连曰：“始吾以君为天下之贤公子也，吾乃今然后知君非天下之贤公子也。梁客辛垣衍安在？吾请为君责而归之。”平原君曰：“胜请为召而见之于先生。”平原君遂见辛垣衍曰：“东国有鲁仲连先生，其人在此，胜请为绍介而见之于将军。”辛垣衍曰：“吾闻鲁仲连先生，齐国之高士也。衍，人臣也，使事有职，吾不愿见鲁仲连先生也。”平原君曰：“胜已泄之矣。”辛垣衍许诺。

鲁仲连见辛垣衍而无言。辛垣衍曰：“吾视居北围城之中者⑧，皆有求于平原君者也。今吾视先生之玉貌，非有求于平原君者，曷为久居此围城之中而不去也？”鲁仲连曰：“世以鲍焦无从容而死者⑨，皆非也。今众人不知，则为一身。彼秦者，弃礼义而上首功之国也。权使其土，虏使其民。彼则肆然而为帝，过而遂正于天下，则连有赴东海而死矣。吾不忍为之民也！所为见将军者，欲以助赵也。”辛垣衍曰：

“先生助之奈何？”鲁仲连曰：“吾将使梁及燕助之。齐、楚则固助之矣。”辛垣衍曰：“燕则吾请以从矣。若乃梁，则吾乃梁人也，先生恶能使梁助之耶？”鲁仲连曰：“梁未睹秦称帝之害故也，使梁睹秦称帝之害，则必助赵矣。”辛垣衍曰：“秦称帝之害将奈何？”鲁仲连曰：“昔齐威王尝为仁义矣[10]，率天下诸侯而朝周。周贫且微，诸侯莫朝，而齐独朝之。居岁余，周烈王崩[11]，诸侯皆吊，齐后往。周怒，赴于齐曰：‘天崩地坼，天子下席。东藩之臣田婴齐后至，则斮(zhuó)之！’威王勃然怒曰：‘叱嗟，而母婢也。’卒为天下笑。故生则朝周，死则叱之，诚不忍其求也。彼天子固然，其无足怪。”辛垣衍曰：“先生独未见夫仆乎？十人而从一人者，宁力不胜，智不若耶？畏之也。”鲁仲连曰：“然梁之比于秦若仆耶？”辛垣衍曰：“然。”鲁仲连曰：“然吾将使秦王烹醢(hǎi)梁王[12]。”辛垣衍怏然不悦曰：“嘻，亦太甚矣，先生之言也！先生又恶能使秦王烹醢梁王？”

鲁仲连曰：“固也，待吾言之。昔者，鬼侯之、鄂侯、文王[13]，纣之三公也。鬼侯有子而好，故入之于纣，纣以为恶，醢鬼侯。鄂侯争之急，辨之疾，故脯鄂侯。文王闻之，喟然而叹，故拘之于牖里之车[14]，百日而欲舍之死[15]。曷为与人俱称帝王，卒就脯醢之地也？齐闵王将之鲁[16]，夷维子执策而从[17]，谓鲁人曰：'子将何以待吾君？'鲁人曰：'吾将以十太牢待子之君。'维子曰：'子安取礼而来待吾君？彼吾君者，天子也。天子巡狩，诸侯辟舍，纳于管键[18]，摄衽抱几，视膳于堂下，天子已食，退而听朝也。'鲁人投其籥(yuè)，不果纳。不得入于鲁，将之薛，假涂于邹[19]。当是时，邹君死，闵王欲入吊。夷维子谓邹之孤曰：'天子吊，主人必将倍殡柩[20]，设北面于南方，然后天子南面吊也。'邹之群臣曰：'必若此，吾将伏剑而死。'故不敢入于邹。邹、鲁之臣，生则不得事养，死则不得饭含[21]。然且欲行天子之礼于邹、鲁之臣，不果纳。今秦万乘之国，梁亦万乘之国。俱据万乘之国，交有称王之名，睹其一战而胜，欲从而帝之，是使三晋之大臣不如邹、鲁之仆妾也。且秦无已而帝，则且变易诸侯之大臣。彼将夺其所谓不肖，而予其所谓贤；夺其所憎，而与其所爱。彼又将使其子女谗妾为诸侯妃姬，处梁之宫，梁王安得晏然而已乎？而将军又何以得故宠乎？"

于是，辛垣衍起，再拜谢曰："始以先生为庸人，吾乃今日而知先生为天下之士也。吾请去，不敢复言帝秦。"秦将闻之，为却军五十里。

适会魏公子无忌夺晋鄙军以救赵击秦[22]，秦军引而去。于是平原君欲封鲁仲连。鲁仲连辞让者三，终不肯受。平原君乃置酒，酒酣，起，前，以千金为鲁仲连寿。鲁仲连笑曰："所贵于天下之士者，为人排患、释难、解纷乱而无所取也。即有所取者，是商贾之人也，仲连不忍为也。"遂辞平原君而去，终身不复见。

【注释】

①邯郸：赵国都城，在今河北邯郸。

②魏安釐王：魏昭王之子，名圉，前276～前243年在位。晋鄙：魏国的大将。

③荡阴：在今河南汤阴县，时为赵、魏两国交界处。

④客将军：非本国人而为将军。辛垣衍：复姓辛垣，名衍。一作"新垣衍"，今依鲍本作"辛"。

⑤平原：赵胜，赵孝成王之叔，封于东武（今山东武城），号平原君，战国著名四公子之一，时任赵相。赵王：赵孝成王，名丹。

⑥齐闵王：名地，齐宣王子，前300～前284年在位。争强为帝：周赧王二十七年（前288年），齐闵王称东帝，秦昭王称西帝。

⑦今齐闵王已益弱：秦围邯郸时，齐国国君为襄王，齐闵王已死二十七年，故"闵王"二字当系衍文。

⑧北：鲍本作"此"，意通，译文依之。

⑨鲍焦：周时隐士，因不满当时社会，抱木绝食而死。

⑩齐威王：宣王之父，名婴齐，前356～320年在位。按：周烈王死在田齐桓公六年，距齐威王元年尚有十三年，且齐威王无率诸侯朝周之事。

⑪周烈王：安王之子，名喜，前375～前369年在位。

⑫烹醢：古代的酷刑。烹，煮杀。醢，剁成肉酱。此指处死。

⑬鬼侯之：鬼侯，《史记》作“九侯”，下无“之”字，鲍本亦无。鬼侯，封地在今河南临漳。鄂侯：封地在今山西宁乡。文王：即周文王，姓姬名昌，商末周族首领，又称西伯。

⑭牖里：亦作“羑里”，在今河南汤阴北。车：《史记》作“库”，鲍本同，即监狱。

⑮舍：《史记》及鲍本作“令”，译文从之。

⑯齐闵王：鲁、邹不纳之事在前284年，燕将乐毅率军攻齐，闵王先后逃至卫、鲁、邹等国，都因态度傲慢，不被接纳。

⑰夷维子：齐闵王之臣。夷维，在今山东坊市，以邑为姓。

⑱管键：钥匙。

⑲邹：在山东邹城东南。

⑳倍殡柩：把灵柩移到相反的方向（从北面移到南面）。倍，同“背”。

㉑饭：把米粒放在死者口中。含：把珠玉放到死者口中。

㉒魏公子无忌：即信陵君，魏昭王少子，安釐王弟，封于信陵（今河南宁陵），为战国四公子之一。

【译文】

秦军包围了赵国的都城邯郸。魏安釐王派将军晋鄙率领军队去援救赵国。因为害怕秦军，把军队驻扎在荡阴，不敢前进。魏王又派外籍将军辛垣衍秘密地进入邯郸城，通过平原君对赵孝成王说："秦国所以急于围攻赵国，是因为先前与齐闵王争强称帝，不久，秦王放弃了帝号，是因为齐王先放弃帝号的缘故。如今齐国比闵王时更加衰弱了。当今只有秦国称雄天下，这次出兵并非一定要攻占邯郸，它的意图是想要称帝。赵国如果派出使者尊奉秦昭王为帝，秦国一定高兴，会撤兵离开的。"平原君对此犹豫不决。

这时鲁仲连正在赵国游历，正好赶上秦军包围赵都邯郸。听说魏国派人想让赵国尊秦王为帝，就去见平原君说："这事打算怎么办？"平原君说："我赵胜哪里还敢谈国家大事？百万大军在外面遭到挫败，现在秦军又进入国内包围邯郸而不能使他撤兵。魏王派外籍将军辛垣衍来让赵国尊秦王为帝，现在这人还在这里，我赵胜哪里还敢谈国家大事？"鲁仲连说："早先我认为你是天下贤能的公子，我今天才知道你不是天下贤能的公子。魏国的客人辛垣衍在哪里？请让我替你去责备他，叫他回去。"平原君说："请让我把他找来和先生相见。"平原君就去见辛垣衍说："齐国有位鲁仲连先生，此人在这里，请允许我为你介绍和将军见面。"辛垣衍说："我听说鲁仲连先生是齐国的高士，我辛垣衍是魏国的臣子，出使的事有自己的职责。我不愿意见鲁仲连先生。"平原君说："我已经把你在这儿的事告诉他了。"辛垣衍这才答应和鲁仲连见面。

鲁仲连见到辛垣衍后却不说话。辛垣衍说："我看住在这个被围困的城中的人，都是对平原君有所求的。现在我看先生的尊容，不像是对平原君有所求的人，为什么久留在这个被围困的城里而不离开呢？"

鲁仲连说："世上认为鲍焦是无所作为的人，都是不对的。现在一般人不了解，认为他是为个人而死。那秦国是一个背弃礼义、崇尚战功的国家。用权术使用他的士人，像对待奴隶一样役使他的人民。假如秦国肆无忌惮地称帝，进一步甚至会统治天下，那我鲁仲连只有跳到东海去死了。我不能容忍做它的顺民！我见将军的目的，是想帮助赵国。"辛垣衍说："先生打算怎样帮助赵国呢？"鲁仲连说："我要使魏国和燕国帮助它。齐国、楚国本来已经在帮助它了。"辛垣衍说："燕国么，我倒是认为它会听从您的。至于魏国，那我就是魏国人，先生怎么能使魏国帮助它呢？"鲁仲连说："那是因为魏国还没有见到秦国称帝的危害，假使魏国看到了秦国称帝的危害，那它就一定会帮助赵国的。"辛垣衍说："秦国称帝的危害是什么呢？"鲁仲连说："从前齐威王曾施行仁义，率领天下诸侯去朝见周天子。周王室贫穷又弱小，诸侯没有去朝见的，而齐王独自去朝见他。过了一年多，周烈王死了，诸侯都去吊丧，齐国晚到了一步。周室新天子发怒，在给齐国的讣告里说：'天崩地裂，新天子离开宫室守孝，而东方藩国之臣田婴齐竟敢迟到，应该斩首。'齐威王勃然大怒，骂道：'呸！你的娘，是个丫头！'结果被天下人讥笑。所以周天子活着的时候就去朝见他，死了就叱骂他，这实在是因为忍受不了周天子的苛求。做天子的本来就是这样，没有什么值得奇怪的。"辛垣衍说："先生难道没有见过奴仆吗？十个仆人服从一个主人，难道是他们的力气赶不上主人，智力不如主人吗？是怕他啊！"鲁仲连说："那么魏国跟秦国相比就像奴仆吗？"辛垣衍说："是的。"鲁仲连说："既然如此，那么我就让秦王把魏王放到锅里煮了剁成肉酱！"辛垣衍很不高兴地说："嘿！先生的话太过分了。先生又怎么能让秦王把魏王放到锅里煮了剁成肉酱呢？"

鲁仲连说："本来嘛，等我讲给你听。从前，鬼侯、鄂侯和周文王是商纣王所封的三个诸侯。鬼侯有个女儿很漂亮，就把她献给纣王。纣王认为她难看，就把鬼侯剁成肉酱。鄂侯据理力争，极力为鬼侯辩护，所以也被做成肉干。文王听说这事，长声叹了一口气，纣王就把文王关在牖里的监狱中，关了一百天，还想要他的命。为什么和人家一起都称王，最终落得被做肉干、肉酱的地步呢？齐闵王要到鲁国去，夷维子拿着马鞭随从，他对鲁国人说：‘你们将用什么礼节接待我们国君？’鲁国人说：‘我们准备用牛、羊、猪各十头来招待你们国君。’夷维子说：‘你们这是从哪儿学来的礼节来接待我们国君？我们的国君是天子。天子巡视诸侯国，诸侯要离开自己的宫室，还要交出钥匙，自己提起衣襟，抱着几案，在堂下伺候天子吃饭。天子吃完饭，诸侯才能告退去处理政务。’鲁国人听了这番话，就闭关下锁，没有接纳齐闵王入境。齐闵王不能进入鲁国，又准备到薛国去，向邹国借路。在这个时候，邹国国君死了，齐闵王想去吊丧。夷维子对邹国嗣君说：‘天子来吊丧，主人一定要把灵柩移到相反的方向，在南边设立朝北的灵堂，然后让天子面向南吊唁。’邹国的群臣说：‘如果一定要这样办，我们就要拔剑自杀。’因此齐闵王不敢进入邹国。邹、鲁两国的臣子，在国君活着的时候不能好好侍奉，国君死后又无力按礼预备饭含。然而当齐国想让邹、鲁的臣子们对齐湣王行天子之礼时，他们没有让齐闵王入境。如今秦国是拥有万辆兵车的大国，魏国也是拥有万辆兵车的大国，同样都是拥有万辆兵车的大国，都有称王的名分，看到秦国打了一次胜仗，就要尊秦为帝，这样看来，赵、韩、魏三国的大臣，还不如邹、鲁二国的仆役呢！再说，如果秦国贪心不止终于称帝，那么秦王将会撤换诸侯的大臣。他将撤掉他认为不贤能的大臣官职，转授给他认为贤能的人；夺去他所厌恶的人的官职，给他所喜欢的人。他还会把他的女儿和那些毁贤嫉能的妾妇配给诸侯做妃子，这些人住在魏国的宫廷里，魏王怎么能平安无事呢？而将军你又怎么能保住原来的宠幸呢？”

于是辛垣衍站起身来，向鲁仲连拜了两拜，道歉说：“我起初以为先生是个平庸的人，今天我才知道先生是天下的高士啊。我请求离开这里，不敢再谈尊秦为帝了。”秦国的将领听说了这件事，为此撤退五十里。

正恰魏公子无忌夺了晋鄙的兵权，率军来援救赵国攻击秦军。秦军于是撤离了邯郸。于是平原君想要封赏鲁仲连，鲁仲连再三推辞，始终不肯接受。平原君只好摆酒宴款待他，当酒喝得正酣畅的时候，平原君站起身来，走上前去，用千金为赠礼向鲁仲连祝酒。鲁仲连笑着说：“天下的士所看重的，是替人排除忧患、解除危难、排解纷乱而不收取任何报酬；假如贪图什么，这就是商人了。我鲁仲连不忍心这样做啊！”于是辞别平原君而离开赵国，终生不再露面。

赵太后新用事

【题解】

本文选自《赵策四》。内容又见帛书《战国纵横家书》第十八章及《史记·赵世家》。

赵惠文王死后，子孝成王即位，年少，由赵威后执政。秦派兵围赵，赵向齐国求救，齐要求赵威后的小儿子长安君到齐国做人质，赵太后不肯，大臣纷纷劝谏。本篇写触龙巧妙地说服赵太后让爱子长安君到齐国做人质的故事。它说明了一个深刻的道理：做父母的要为子女长远打算，要让他们经受锻炼，为国家立功，不能养尊处优，“位尊而无功，俸厚而无劳”，是不能长久的。文章写触龙进谏，处处体贴太后，语气亲切，极其委婉，但又不离进谏的主题，说理透辟，是历来为人们称颂的名篇。

【原文】

赵太后新用事①，秦急攻之。赵氏求救于齐。齐曰：“必以长安君为质，兵乃出。”太后不肯，大臣强谏。太后明谓左右：“有复言令长安君为质者，老妇必唾其面。”

左师触龙言愿见太后②。太后盛气而揖之③。入而徐趋，至而自谢，曰：“老臣病足，曾不能疾走，不得见久矣。窃自恕，而恐太后玉体之有所郄(xì)也④，故愿望见太后。”太后曰：“老妇恃辇而行。”曰：“日食饮得无衰乎？”曰：“恃粥耳。”曰：“老臣今者殊不欲食，乃自强步，日三四里，少益耆食[5]，和于身也。”太后曰：“老妇不能。”太后之色少解。

左师公曰：“老臣贱息舒祺[6]，最少，不肖。而臣衰，窃爱怜之。愿令得补黑衣之数[7]，以卫王宫，没死以闻。”太后曰：“敬诺。年几何矣？”对曰：“十五岁矣。虽少，愿及未填沟壑而托之。”太后曰：“丈夫亦爱怜其少子乎？”对曰：“甚于妇人。”太后笑曰：“妇人异甚。”对曰：“老臣窃以为媪之爱燕后贤于长安君[8]。”曰：“君过矣，不若长安君之甚。”左师公曰：“父母之爱子，则为之计深远。媪之送燕后也，持其踵为之泣，念悲其远也，亦哀之矣。已行，非弗思也，祭祀必祝之，祝曰：‘必勿使反。’岂非计久长，有子孙相继为王也哉？”太后曰：“然。”左师公曰：“今三世以前[9]，至于赵之为赵，赵主之子孙侯者，其继有在者乎？”曰：“无有。”曰：“微独赵，诸侯有在者乎？”曰：“老妇不闻也。”“此其近者祸及身，远者及其子孙。岂人主之子孙则必不善哉？位尊而无功，奉厚而无劳，而挟重器多也[10]。今媪尊长安君之位，而封之以膏腴之地，多予之重器，而不及今令有功于国。一旦山陵崩，长安君何以自托于赵？老臣以媪为长安君计短也，故以为其爱不若燕后。”

太后曰："诺。恣君之所使之。"于是为长安君约车百乘质与齐，齐兵乃出。

子义闻之曰[11]："人主之子也，骨肉之亲也，犹不能恃无功之尊，无劳之奉，而守金玉之重也，而况人臣乎？"

【注释】

①赵太后：即赵威后，赵惠文王之妻。前266年惠文王死，子孝成王即位，年少，由威后执政。

②左师：官名。

③揖：帛书及《史记》并作"胥"。胥，通"须"，等待。

④郄：通"隙"，不舒服。

⑤耆：同"嗜"，喜欢。

⑥贱息：对自己儿子的谦称。

⑦黑衣：原指王宫卫士穿的黑色衣服，此代指卫士。

⑧燕后：赵太后的女儿，嫁给燕王，故称。

⑨三世以前：指赵肃侯尚未称王时。赵孝成王、赵惠文王、赵武灵王为三世。

⑩重器：指钟、鼎之类象征国家权力的贵重物品。

⑪子义：赵国的贤士。

【译文】

赵太后刚开始执掌政事，秦国就紧急进攻赵国。赵国向齐国请求救援。齐国说："必须拿长安君做人质，才派出援兵。"赵太后不肯，大臣们竭力劝谏。太后明确地告诉身边的侍臣："有再讲让长安君去做人质的，我一定唾他一脸唾沫。”

左师触龙声言他希望拜见太后，太后怒气冲冲地等着他。触龙上殿后慢慢走上前去，到太后跟前自己表示歉意说：“老臣的脚有毛病，竟然不能快走，很久没有拜见太后了。私下里还自己宽恕自己，又担心太后的贵体有什么不舒服，所以希望来看望太后。”赵太后说：“我只能靠车子行动了。”触龙说：“每天饮食该不会减少吧？”太后说：“靠喝点粥罢了。”触龙说：“老臣最近很不想吃东西，就自己勉强散散步，每天走上三四里，渐渐地喜欢吃点东西了，身体也舒服些了。”太后说：“我可做不到啊。”太后的怒色稍微缓和了一些。

触龙说：“老臣的儿子舒祺，年龄最小，不成材。可我老了，私下里很疼爱他。我希望能让他在宫廷卫士中充个数，来保卫王宫，因此冒着死罪来向太后禀告。”太后说：“好吧。他年龄多大了？”触龙回答说：“十五岁了。虽然年纪小，臣想趁着没死的时候把他托付给您。”太后说：“男人也疼爱他的小儿子吗？”触龙回答说：“比妇人家还厉害。”太后笑着说：“妇人家疼爱小儿子特别厉害。”触龙回答说：“老臣私下里认为您疼爱燕后胜过疼爱长安君。”太后说：“你错了，不如疼爱长安君那样厉害。”触龙说：“父母疼爱子女，就要替他们做长远打算。老夫人送燕后出嫁的时候，在车上握着她的脚后跟，为她掉眼泪，因为想到她要远嫁，也为她感到悲痛啊！燕后走了以后，并不是就不想她，在祭祀时总是要为她祷告，祈祷说：‘一定不要让她回来呀！’这难道不是替她做长远打算，希望她的子孙在燕国世代为王吗？”太后说：“是这样。”触龙说：“从现在算起，上推到三代以前，甚至到赵氏建立赵国的时候，每代赵王的子孙被封侯的，他们的继承人还有在侯位的吗？”太后说：“没有。”触龙又问：“不只是赵国，就是其他诸侯的子孙，他们的继承人还有封侯的吗？”太后说：“我没听说过。”触龙说：

“他们当中遭祸早的，祸患就降到了自己身上；遭祸晚的，祸患就降到了子孙身上。难道国君的子孙封侯的就一定都不好吗？这是因为他们地位尊贵却没有功勋，俸禄丰厚却没有劳绩，而且还拥有大量的贵重器物啊！如今您使长安君的地位很尊贵，又封给他肥沃的土地，给他很多贵重的器物，而不让他趁现在为国家立功。有朝一日太后归天，长安君自己凭什么在赵国站住脚呢？老臣认为老夫人替长安君打算得不够长远，所以认为疼爱长安君不如疼爱燕后。”太后说：“好吧。任凭你安排他吧！”于是给长安君准备了一百辆车子，送他到齐国做人质，齐国这才派出援兵。

子义听说了这件事，评论说：“国君的儿子，是骨肉之亲，都不能倚仗没有功勋而获得尊位，没有劳绩而取得俸禄，来长期保住贵重的金玉器物，又何况是做臣子的呢？”

梁王魏婴觞诸侯于范台

【题解】

本文选自《魏策二》。

鲁共公择取前代君王的善行，劝诫梁王警惕他过分地享受生活。统治者的奢侈生活，必然加重对人民的盘剥，从而引起人民的反抗，加速其灭亡，鲁共公对此有所认识。本文紧扣“亡国”二字排比论述，中心突出，观点鲜明，很有说服力。

【原文】

梁王魏婴觞诸侯于范台[①]。酒酣，请鲁君举觞[②]。鲁君兴，避席择言曰：“昔者，帝女令仪狄作酒而美[③]，进之禹，禹饮而甘之，遂疏仪狄，绝旨酒，曰：‘后世必有以酒亡其国者。’齐桓公夜半不嗛(qiè)[④]，易牙乃煎敖燔炙[⑤]，和调五味而进之，桓公食之而饱，至旦不觉，曰：‘后世必有以味亡其国者。’晋文公得南之威[⑥]，三日不听朝，遂推南之威而远之，曰：‘后世必有以色亡其国者。’楚王登强台而望崩山[⑦]，左江而右湖[⑧]，以临彷徨[⑨]，其乐忘死，遂盟强台而弗登，曰：‘后世必有以高台陂池亡其国者。’今主君之尊，仪狄之酒也；主君之味，易牙之调也；左白台而右闾须[⑩]，南威之美也；前夹林而后兰台[⑪]，强台

之乐也。有一于此,足以亡其国。今主君兼此四者,可无戒与!”梁王称善相属。

【注释】

①梁王魏婴:即梁惠王,前369～前319年在位,时当其十四年。范台:魏国台名。

②鲁君:指鲁共公。觞:酒杯。

③帝女令仪狄:据王念孙考证,仪狄即帝女名,不当有“令”字。

④嗛:通“慊”,满足、快意;尤指口腹之欲的满足。

⑤易牙:齐桓公宠臣,善烹调。煎敖燔炙:各种烹饪方法。敖,同“熬”。

⑥南之威:即南威,美女名。

⑦强台:荆台,即章华台。崩山:即巫山、猎山、料山。

⑧湖:彭蠡湖。

⑨彷徨:《艺文类聚》引作“方湟”,水名。

⑩白台、闾须:皆美女。

⑪夹林、兰台:分别为地名、台名,魏王游乐之所。

【译文】

魏惠王魏婴在范台请诸侯饮酒。酒喝得酣畅的时候,魏惠王请鲁共公举杯痛饮。鲁共公站了起来,离开自己的座位,恭敬地说道:“从前,帝舜的女儿仪狄擅长酿酒,酒味醇美,把酒献给了禹。禹喝了以后,觉得味道很美,就疏远了仪狄,戒绝了美酒,说:‘后代一定有因为贪喝美酒而使他的国家灭亡的。’齐桓公有一天半夜里觉得肚子饿,想吃东西,易牙于是煎、熬、烧、烤,调和各种美味给他送上,齐桓公吃得很饱,一觉睡到天亮还不醒,后来他说:‘后代一定有因为贪吃美味而使他的国家灭亡的。’晋文公得到美女南之威，三天没有上朝听政，就推开南之威，疏远了她，说：‘后代一定有贪恋美色而使他的国家灭亡的。’楚灵王登上章华台眺望巫山美景，左边是长江，右边是彭蠡，下临方湟水，他乐而忘死，于是在章华台上发誓不再攀登，并说：‘后代一定有贪游高台、池沼而使他的国家灭亡的。’现在你的酒杯里，盛的是仪狄酿造的那样的美酒；你吃的美味，是易牙烹调出来的那样的佳肴；你左边有白台，右边有闾须，都是南之威一样的美女；你前边有夹林，后边有兰台，都是和楚国章华台一样的游乐场所。这四项里占上一项，足以使自己的国家灭亡。现在你兼有这四项，能不警戒吗！”梁惠王称赞鲁共公这番话讲得好，并告诫在座的人。

魏王欲攻邯郸

【题解】

本文选自《魏策四》。

季梁用一个寓言故事，说明魏王欲成霸王之业而攻邯郸的举动，正是南其辕而北其辙。比喻贴切，鲜明生动，说服力强，达到了劝阻魏王进攻邯郸的目的。成语“南辕北辙”源于此。

【原文】

魏王欲攻邯郸[1]，季梁闻之[2]，中道而反，衣焦不申，头尘不去[3]，往见王曰：“今者臣来，见人于大行[4]，方北面而持其驾，告臣曰：‘我欲之楚。’臣曰：‘君之楚，将奚为北面？’曰：‘吾马良。’臣曰：‘马虽良，此非楚之路也。’曰：‘吾用多。’臣曰：‘用虽多，此非楚之路也。’曰：‘吾御者善。’‘此数者愈善，而离楚愈远耳。’今王动欲成霸王[5]，举欲信于天下。恃王国之大，兵之精锐，而攻邯郸，以广地尊名，王之动愈数，而离王愈远耳。犹至楚而北行也。”

【注释】

①魏王：魏惠王。邯郸：赵国都城，在今河北邯郸。

②季梁：魏臣。生平不详。

③去：据王念孙考证，当作“浴”，洗去。
④大行：大道，大路。
⑤霸王：霸业与王业。

【译文】

魏王要攻打邯郸，季梁听到这件事，在出使的半路上就折返回来。连衣服的折皱都顾不上弄平整，头上的灰尘也来不及洗去，就去谒见魏王说：“今天我来的时候，在大道上见到一个人，正驾着他的车子朝北走，他告诉我说：‘我要到楚国去。’我说：‘你到楚国去，为什么朝北走？’他说：‘我的马好。’我说：‘马虽然好，但这不是去楚国的路啊！’他说：‘我的费用多。’我说：‘费用虽然多，但这不是去楚国的路啊！’他说：‘我的车夫驾驶技术高。’我说：‘这几个条件越好，离楚国就越远。’如今大王一举一动总想成就霸业、王业，总想取得天下人的信任。然而凭着大王国土的广大，军队的精锐，而去进攻邯郸，用来扩大疆域，提高名望，那大王的举动越频繁，离建立王业的目标就越远。这就像虽要到楚国却朝北走一样啊！”

秦王使人谓安陵君

【题解】

本文选自《魏策四》。内容又见《说苑·奉使》。

秦国在灭韩亡魏以后，又以外交上的欺诈手段，企图吞并魏国的附属小国安陵。安陵君派使臣唐雎出使秦国，与秦王交涉。他大义凛然，拒绝与秦国换地。秦王恼羞成怒，进行威胁。唐雎不畏强暴，机智勇敢，与秦王进行针锋相对的斗争。终于折服了秦王，胜利完成了使命。文中人物描写生动，有声有色，但内容当是策士虚构。

【原文】

秦王使人谓安陵君曰[①]："寡人欲以五百里地易安陵，安陵君其许寡人？"安陵君曰："大王加惠，以大易小，甚善。虽然，受地于先生[②]，愿终守之，弗敢易。"秦王不说。安陵君因使唐且使于秦[③]。

秦王谓唐雎曰："寡人以五百里之地易安陵，安陵君不听寡人，何也？且秦灭韩亡魏，而君以五十里之地存者，以君为长者，故不错意也[④]。今吾以十倍之地请广于君，而君逆寡人者，轻寡人与？"唐雎对曰："否，非若是也。安陵君受地于先生而守之，虽千里不敢易也，岂直五百里哉！"

秦王怫然怒，谓唐雎曰："公亦尝闻天子之怒乎？"唐雎对曰："臣未尝闻也。"秦王曰："天子之怒，伏尸百万，流血千里。"唐雎曰："大王尝闻布衣之怒乎？"秦王曰："布衣之怒，亦免冠徒跣，以头抢地尔。"唐雎曰："此庸夫之怒也，非士之怒也。夫专诸之刺王僚也⑤，彗星袭月；聂政之刺韩傀也⑥，白虹贯日；要离之刺庆忌也⑦，仓鹰击于殿上⑧。此三子者，皆布衣之士也，怀怒未发，休祲(jìn)降于天⑨，与臣而将四矣。若士必怒，伏尸二人，流血五步，天下缟素，今日是也。"挺剑而起。

秦王色挠，长跪而谢之曰："先生坐，何至于此，寡人谕矣。夫韩、魏灭亡，而安陵以五十里之地存者，徒以有先生也。"

【注释】

①秦王：即秦始皇嬴政。时尚未称帝，故称秦王。安陵：魏的附属小国，其地在今河南鄢陵西北。安陵君：安陵国的晚期国君，安陵国地仅五十里。

②生：鲍本作"王"，下同。译文依鲍本。

③唐雎：人名。

④错意：在意。错，同"措"。

⑤专诸：春秋时吴国的勇士。王僚：春秋时吴国的国君。公子光（即阖闾）想杀僚自立，派遣勇士专诸把匕首藏在鱼腹中，趁进餐时刺杀了王僚。

⑥聂政：韩国轵人，刺客。韩傀：韩国相。韩大夫严仲子与韩傀有仇，就结交聂政，聂政替他刺死了韩傀。

⑦要离：吴国人，刺客。庆忌：吴王僚之子。公子光刺杀王僚以后，庆忌逃到魏国，公子光派庆忌将他刺死。

⑧仓：通"苍"，深青色。

⑨休祲：偏义复词，指凶兆。休，吉兆；祲，不祥之气。

【译文】

秦王派人对安陵君说："我想用五百里的土地来换安陵，安陵君或许会答应我吧？"安陵君说："大王施予恩惠，用大块的土地来交换小块的土地，很好。虽然如此，我从先王那里接受了这块土地，愿意终身守着它，不敢交换。"秦王听了很不高兴。安陵君就派唐雎出使秦国。

秦王对唐雎说："我用五百里的土地换安陵，安陵君不听从我，为什么呢？再说秦国已经灭掉了韩国、魏国，而安陵君凭着方圆五十里的地盘能存在下来，因为安陵君是个忠厚长者，所以我对他不太在意。现在我用十倍的土地，请安陵君扩大地盘，而安陵君却违抗我，这不是轻视我吗？"唐雎回答说："不，不是这样的。安陵君从先王那里接受了这块土地并守着它，即使方圆千里的土地也不敢换，何况只是方圆五百里呢？"

秦王勃然大怒，对唐雎说："你也曾听说过天子发怒吗？"唐雎回答说："我不曾听说过。"秦王说："天子发怒，就会横尸百万，流血千里。"唐雎说："大王曾听说过平民发怒吗？"秦王说："平民发怒，也不过是摘下帽子，光着脚，用头撞地罢了。"唐雎说："这是平庸无能的人发怒的样子，不是侠士发怒的样子。那专诸刺杀王僚的时候，彗星的光掩盖了月亮；聂政刺韩傀的时候，一道白光穿过太阳；要离刺庆忌的时候，苍鹰扑击到殿上。这三个人都是平民中的侠士,他们心中的愤怒还没有发作时,凶的征兆就从天上降示出来,现在算上我将有四个人了。如果侠士真的发怒,倒在地上的尸体将是两具,流血只在五步之内,天下的人都穿白戴孝,今天的情势就将是这样的。"唐雎说完就拔出宝剑站了起来。

秦王吓得脸色都变了,耸身跪着对唐雎道歉说:"请先生坐下,怎么至于到这样的地步!我明白了。韩国、魏国都灭亡了,而安陵凭着方圆五十里的土地生存下来,是因为有先生的缘故。"

韩傀相韩

【题解】

本文选自《韩策二》。写聂政刺杀韩傀的故事。内容又见《史记·刺客列传》。

韩国大夫严遂与相国韩傀有仇,被迫流亡在外,结交了隐于市井的侠士聂政,聂政感激韩遂"知己"之恩,答应替他报仇。聂政后入秦,刺死韩傀,并自杀。聂政重诺轻生、"为知己者死"的品质,反映了古代一般侠士的道德观念。文中对聂政形象的塑造极为成功。

【原文】

韩傀相韩[①],严遂重于君[②],二人相害也。严遂政议直指,举韩傀之过。韩傀以之叱之于朝。严遂拔剑趋之,以救解。于是严遂惧诛,亡去,游求人可以报韩傀者。

至齐,齐人或言:"轵深井里聂政[③],勇敢士也,避仇隐于屠者之间。"严遂阴交于聂政,以意厚之。聂政问曰:"子欲安用我乎?"严遂曰:"吾得为役之日浅,事今薄,奚敢有请?"于是严遂乃具酒,觞聂政母前。仲子奉黄金百镒,前为聂政母寿。聂政惊,愈怪其厚[④],固谢严仲子。仲子固进,而聂政谢曰:"臣有老母,家贫,客游以为狗屠,可旦夕得甘脆以养亲。亲供养备，义不敢当仲子之赐。”严仲子辟人，因为聂政语曰：“臣有仇，而行游诸侯众矣。然至齐，闻足下义甚高。故直进百金者，特以为夫人粗粝之费，以交足下之驩(huān)，岂敢以有求邪？”聂政曰：“臣所以降志辱身，居市井者，徒幸而养老母。老母在，政身未敢以许人也。”严仲子固让，聂政竟不肯受。然仲子卒备宾主之礼而去。

久之，聂政母死，既葬，除服。聂政曰：“嗟乎！政乃市井之人，鼓刀以屠，而严仲子乃诸侯之卿相也，不远千里，枉车骑而交臣，臣之所以待之至浅鲜矣[6]，未有大功可以称者，而严仲子举百金为亲寿，我虽不受，然是深知政也。夫贤者以感忿睚眦之意[7]，而亲信穷僻之人，而政独安可嘿然而止乎？且前日要政，政徒以老母。老母今以天年终，政将为知己者用。”

遂西至濮阳，见严仲子曰：“前所以不许仲子者，徒以亲在。今亲不幸，仲子所欲报仇者为谁？”严仲子具告曰：“臣之仇韩相傀。傀又韩君之季父也，宗族盛，兵卫设，臣使人刺之，终没能就。今足下幸而不弃，请益具车骑壮士，以为羽翼。”政曰：“韩与卫，中间不远，今杀人之相，相又国君之亲，此其势不可以多人。多人不能无生得失，生得失则语泄，语泄则韩举国而与仲子为雠也，岂不殆哉！”遂谢车骑人徒，辞，独行仗剑至韩。

韩适有东孟之会[8]，韩王及相皆在焉[9]，持兵戟而卫者甚众。聂政直入，上阶刺韩傀。韩傀走而抱哀侯，聂政刺之，兼中哀侯[10]，左右大乱。聂政大呼，所杀者数十人。因自皮面抉眼[11]，自屠出肠，遂以死。韩取聂政尸于市，县购之千金[12]。久之莫知谁子。

政姊闻之，曰："弟至贤，不可爱妾之躯，灭吾弟之名，非弟意也。"乃之韩。视之曰："勇哉！气矜之隆。是其轶贲、育而高成荆矣[14]。今死而无名，父母既殁矣，兄弟无有，此为我故也。夫爱身不扬弟之名，吾不忍也。"乃抱尸而哭曰："此吾弟轵深井里聂政也。"亦自杀于尸下。

晋、楚、齐、卫闻之曰："非独政之能，乃其姊者，亦列女也。"聂政之所以名施于后世者，其姊不避菹醢之诛，以扬其名也。

【注释】

①韩傀：《史记》作"侠累"，韩国相。

②严遂：字仲子，韩臣，濮阳人。

③轵：古县名，在今河南济源南。深井里：轵县里名。

④厚：看重。

⑤驩：同"欢"，欢心。

⑥浅鲜：轻薄，轻微。

⑦感忿睚眦之意：指一时的小怨恨。按：据考证，忿当作"忽"，一本作"怨"。感忽，一时。睚眦，怒视，引申为小怨小愤。

⑧东孟：古地名，不详。一说，即酸枣，在今河南延津西。

⑨韩王：韩烈侯，时当其三年。

⑩韩傀走而抱哀侯，聂政刺之，兼中哀侯：《史记·刺客列传》无此十五字。按：聂政刺韩傀与前 374 年韩严刺哀侯本非一事。

⑪皮面：剥去脸皮。

⑫县：同“悬”。悬购，悬赏重金征求。

⑬成荆：古代的勇士。

【译文】

韩傀任韩国的国相，严遂也受到国君的器重，二人相互忌恨。严遂公正地发表议论，直接指斥韩傀的行为，列举韩傀的过错。韩傀因此在朝廷上叱骂他。严遂拔出宝剑直奔韩傀，因为有人救助才解了围。此后，严遂害怕被韩傀杀害，就逃离韩国，远游在外，寻求可以向韩傀报仇的人。

严遂到了齐国，齐国有人说：“轵县深井里的聂政，是一个勇敢的侠士，因为躲避仇人隐藏在屠夫中间。”严遂就暗中结交聂政，有意厚待他。聂政问严遂说：“你想要我干什么呢？”严遂说：“我为你效劳的日子还不长，事情又很急迫，怎么敢有所求呢？”于是严遂就备办酒席，向聂政母亲敬酒；还奉上黄金百镒，走上前去为聂政的母亲祝寿。聂政很吃惊，更加奇怪他如此厚礼相待，坚决辞谢严遂的礼金。严遂坚持进献，聂政就推辞说：“我有老母亲，家境贫寒，只得游荡在外，以杀狗为业，可以早晚得到些美味奉养母亲。供养母亲的东西齐备，按情理说不敢接受你的赏赐。”严遂让旁边的人避开，对聂政说：“我有仇要报，为此我游走过的诸侯国很多了。到了齐国，听说你很重义气。所以径直送上百金，只不过是想作为老夫人粗茶淡饭的费用，好让你高兴，怎么敢有什么要求呢？”聂政说：“我所以降低志向，辱没身份，隐居在这集市中，只是希望能奉养老母。只要老母健在，我不敢把自己的生命交给别人。”严遂极力推让，聂政始终不肯接受。然而严遂最终还是尽了宾主之礼才离开。

过了很久，聂政的母亲死了，安葬以后，守孝期满。聂政说：“唉！我不过是个集市上的平民，动刀宰杀的屠夫，而严遂却是诸侯的卿相，他不远千里，屈驾前来与我结交，我对他的情分太浅薄了，又没有大功可以称道的，而严遂却拿出百金为老母祝寿，我虽然没有接受，但是他是深深了解我聂政的人。严遂这样贤德的人，为了报一时的小怨恨，来亲近信任我这个穷乡僻壤的人，而我聂政怎么能就这样默不作声呢？况且他以前求过我，我只是因为有老母健在。老母如今已经享尽天年而去世，我聂政将为知己在所不辞。”

聂政于是向西到了濮阳，见了严遂说：“以前之所以没有答应你，只是因为老母还健在。如今母亲不幸去世，请问你想报仇的人是谁？”严遂把情况都告诉他说：“我的仇人是韩国的相国韩傀。韩傀又是韩国国君的叔父，同族的人很多，兵卫设置严密，我派人刺杀他，始终没能成功。现在有幸承蒙你不抛弃我，请让我为你多准备些车马、壮士，作为你的助手。”聂政说：“韩国和卫国之间，相距不远，如今去杀韩国的相国，相国又是国君的亲人，在这种情况下，不可以带很多人。人多了不能保证不出差错。出了差错，就难免在语言间泄露机密。泄露了机密，那韩国就会举国上下与你为仇，岂不是太危险了吗？”于是聂政拒绝车马随从，告别严遂独自一人持剑到了韩国。

正巧韩国在东孟举行盟会，韩王和国相韩傀都在那里，手持兵器保卫的人很多。聂政径直闯了进去，奔上台阶刺杀韩傀。韩傀跑过去抱住国君，聂政向他刺去，同时刺中了国君，国君身边的人因而大乱。聂政大声吼叫，被他杀死的有几十人。接着他用剑划破脸皮，挖出眼珠，自己剖腹挑出肠子，然后死去。韩国人把聂政的尸体摆在街市上，悬赏千金征求认识他的人。过了很久，没有人知道他是谁。

聂政的姐姐听说了这件事，说："我的弟弟非常有才能，我不能因为吝惜自己的生命，而埋没了我弟弟的名声，虽然这并不是弟弟的本意。"于是她就去了韩国。她看到聂政的尸体说："英勇啊！豪气壮烈。这种壮烈的行为超过孟贲、夏育，胜过成荆了。现在你死了却不愿意让人知道你的名字，父母已经去世，又没有兄弟，这样做是为了怕牵连我的缘故啊。要是吝惜自己的生命而不显扬弟弟的名声，我不忍心这样做啊。"于是她抱着聂政的尸体哭着说："这是我的弟弟，轵县深井里的聂政。"也在聂政尸体旁自杀而死。

晋、楚、齐、卫等国的人听说了这件事，都说："不只是聂政勇武，就连他的姐姐也是一个重义轻生的刚烈女子啊。"聂政所以能名垂后世，是因为他的姐姐不怕被剁成肉酱，而传扬他的名声的缘故。

燕昭王收破燕后即位

【题解】

本文选自《燕策一》。内容又见《史记·燕世家》《说苑·君道》和《新序·杂事三》。

由于燕王哙的“禅让”，造成国内大乱，齐国入侵，致使燕国残破不堪。前311年，燕昭王即位，他决心发愤图强，励精图治，复兴国家，报仇雪耻。他虚心求教，采纳郭隗的建议，并尊郭隗为师长，给予特殊优待。这一尊重人才、广招贤士的措施，使各国许多优秀的人才纷纷来到燕国，辅佐他完成了复国大业。他关心人民疾苦，取得了人民的拥护，使燕国迅速强盛起来，并取得对齐国战争的胜利。

【原文】

燕昭王收破燕后即位①，卑身厚币，以招贤者，欲将以报仇。故往见郭隗先生曰②：“齐因孤国之乱，而袭破燕。孤极知燕小力少，不足以报。然得贤士与共国，以雪先王之耻，孤之愿也。敢问以国报仇者奈何？”

郭隗先生对曰：“帝者与师处，王者与友处，霸者与臣处，亡国与役处。诎指而事之③，北面而受学，则百己者至④。先趋而后息，先问而后嘿，则什己者至。人趋己趋，则若己者至。冯几据杖⑤，眄视指使，则厮役之人至。若恣睢奋击，呴(hǒu)籍叱咄[⑥]，则徒隶之人至矣。此古服道致士之法也。王诚博选国中之贤者，而朝其门下，天下闻王朝其贤臣，天下之士必趋于燕矣。”

昭王曰：“寡人将谁朝而可？”郭隗先生曰：“臣闻古之君人，有以千金求千里马者，三年不能得。涓人言于君曰：‘请求之。’君遣之。三月得千里马，马已死，买其首五百金，反以报君。君大怒曰：‘所求者生马，安事死马而捐五百金？’涓人对曰：‘死马且买之五百金，况生马乎？天下必以王为能市马，马今至矣。’于是不能期年，千里之马至者三。今王诚欲致士，先从隗始；隗且见事，况贤于隗者乎？岂远千里哉？”

于是昭王为隗筑宫而师之。乐毅自魏往[⑦]，邹衍自齐往[⑧]，剧辛自赵往[⑨]，士争凑燕。燕王吊死问生，与百姓同其甘苦。二十八年，燕国殷富，士卒乐佚轻战。于是遂以乐毅为上将军，与秦、楚、三晋合谋以伐齐。齐兵败，闵王出走于外。燕兵独追北入至临淄，尽取齐宝，烧其宫室宗庙。齐城之不下者，唯独莒、即墨[⑩]。

【注释】

①燕昭王：名职，燕王哙之子，前311～前279年在位。

②郭隗：燕国贤士。

③诎：同“屈”。

④百己:才能超过自己百倍。

⑤冯:同"凭"。

⑥呴:同"吼",吼叫。籍:同"藉",欺辱。叱咄:大声斥责。

⑦乐毅:战国时名将,魏国人。燕昭王时为上将军,率领五国之兵攻齐,夺齐七十余城,以功封昌国君。

⑧邹衍:齐国人,战国后期阴阳家的代表人物。

⑨剧辛:赵国人,曾为燕将。按:据钱穆《先秦诸子系年》,剧辛不在燕昭王招贤时仕燕。

⑩莒:齐邑,今山东莒县。即墨:齐邑,故城在今山东平度东南。

【译文】

燕昭王收拾残破的燕国后登上王位,他谦卑恭敬,用丰厚的礼物来招聘贤才,打算依靠他们报齐国破燕之仇。所以他去拜见郭隗先生,说:"齐国趁着我国的内乱,发动袭击,攻破燕国。我深知燕国小力量弱,不能报仇。然而如果能得到贤才共同治理国家,以洗雪先王的耻辱,这是我的愿望。请问先生,要替国家报仇该怎么办?"

郭隗先生回答说:"成就帝业的国君把贤者当做老师与他们相处,成就王业的国君把贤者当做朋友和他们相处,成就霸业的国君把贤者当做臣子和他们相处,亡国的国君把贤者当做仆役和他们相处。如果能屈从旨意而侍奉贤者,像弟子对待老师那样接受教诲,那么才能胜过自己百倍的人就会到来。如果做事抢在别人前面而休息落在别人后面,不懂就主动发问而到明白了才住口,那么才能胜过自己十倍的人就会到来。如果别人怎么做而自己也跟着做,那么才能同自己相当的人就会到来。如果靠着几案、拄着拐杖,不正眼看人,指手画脚,那么供人役使、跑腿当差的人就会到来。如果放纵蛮横,行为粗暴,吼叫辱骂，大声呵斥，那么犯人、奴隶就会到来。这是古代施行王道、招致人才的方法。大王如果想广泛地选拔国内贤才，就亲自到他们的门下拜访，天下的人听到大王亲自拜访贤臣，那么有才能的人就一定会奔赴燕国来了。”

燕昭王说：“我应该先拜访谁才合适呢？”郭隗先生说：“我听说古代国君中，有个要用千金求购千里马的，三年没能得到。身边一个内侍对国君说：‘请让我去买吧。’国君就派他去买。他用了三个月时间得到了千里马，但马已经死了，就用五百金买了那匹死马的头，回来向国君报告。国君大怒说：‘我要的是活马，买死马干吗？还白白花费五百金！’这个内侍回答说：‘死马尚且花五百金买它，何况活马呢？天下的人因此一定会认为大王能出高价买千里马，千里马很快就要来了。’果真不到一年，千里马送上门来的就有三匹。如今大王如果真的想要招致贤才，就先从我开始；我郭隗尚且被重用，何况比我有才能的人呢？难道他们还会嫌燕国有千里远而不来吗？”

于是燕昭王给郭隗建造宫室，并拜他为师。听到这个消息，乐毅从魏国前去燕国，邹衍从齐国前去燕国，剧辛从赵国前去燕国，有才能的人都争先恐后地聚集到燕国。燕昭王祭奠死去的人，慰问活着的人，与百姓同甘共苦。燕昭王二十八年，国家殷实富裕，士兵安乐闲适，乐意为国作战。于是燕昭王就任命乐毅为上将军，和秦、楚、韩、赵、魏共同谋划讨伐齐国。齐国被打得大败，齐闵王出逃在外。燕国军队独自追击败逃的齐军，攻入齐都临淄，把齐国的财宝全部取走，烧毁了齐国的宫殿、宗庙。齐国的城邑，只有莒和即墨两城未被攻下。

赵且伐燕

【题解】

本文选自《燕策二》。

苏代用“鹬蚌相争”的寓言，来说明双方争持不下，必然两败俱伤，使第三者坐收其利的道理。由于比喻形象，寓意深刻，说服力强，所以达到了劝阻赵王伐燕的目的。成语“鹬蚌相争，渔翁得利”即源于此。

【原文】

赵且伐燕，苏代为燕谓惠王曰①：“今者臣来，过易水②，蚌方出曝，而鹬啄其肉③，蚌合而拑其喙。鹬曰：‘今日不雨，明日不雨，即有死蚌。’蚌亦谓鹬曰：‘今日不出，明日不出，即有死鹬。’两者不肯相舍，渔者得而并禽之④。今赵且伐燕，燕、赵久相支，以弊大众，臣恐强秦之为渔父也。故愿王之熟计之也。”惠王曰：“善。”乃止。

【注释】

①苏代：苏秦之兄，战国时纵横家，游说于楚、魏、燕、齐之间。此盖策士假托。

②易水：在今河北西部，源出易县境。

③鹬：水鸟名，脚长嘴尖，吃小鱼、贝类、昆虫等。

④禽：同“擒”。

【译文】

赵国将要攻打燕国，苏代为燕国对赵惠文王说：“我这次从燕国来的时候，经过易水，有一只河蚌正出来晒太阳，一只鹬鸟飞来啄它的肉，河蚌就合起两壳夹住了鹬鸟的嘴。鹬鸟说：‘今天不下雨，明天不下雨，就会有一只死蚌。’河蚌说：‘你的嘴今天不出来，明天不出来，就会有一只死鹬。’两个谁也不肯放谁，一个渔翁走来就把它们一起捉住了。现在赵国要攻打燕国，燕、赵两国长期相持不下，使双方百姓疲惫不堪，我担心强大的秦国会来做渔翁。所以希望大王认真考虑攻打燕国这件事。”赵惠文王听了后说：“好。”就停止攻打燕国的计划了。

燕太子丹质于秦亡归

【题解】

本文选自《燕策三》。内容又见《史记·刺客列传》。

战国后期，秦国采用各个击破的战术，不断进攻东方六国。它在灭韩、亡魏之后，又兵临易水，直逼燕国。燕国弱小，无力抵御，危在旦夕。为挽救时局，燕太子丹企图刺杀秦王，造成秦国内乱，以争取时间，重新组织抗秦力量。于是发生了荆轲刺秦王的故事。本文语言生动，情节感人，成功地刻画了荆轲沉着、英勇、慷慨、豪迈的性格。

【原文】

燕太子丹质于秦，亡归。见秦且灭六国，兵以临易水，恐其祸至。太子丹患之，谓其太傅鞠武曰[①]："燕、秦不两立，愿太傅幸而图之。"武对曰："秦地遍天下，威胁韩、魏、赵氏，则易水以北，未有所定也。奈何以见陵之怨，欲排其逆鳞哉[②]？"太子曰："然则何由？"太傅曰："请入，图之。"

居之有间，樊将军亡秦之燕[③]，太子容之。太傅鞠武谏曰："不可。夫秦王之暴，而积怨于燕，足为寒心，又况闻樊将军之在乎！是以委肉当饿虎之蹊，祸必不振矣！虽有管、晏[④]，不能为谋。愿太子急遣樊将军入匈奴以灭口。请西约三晋，南连齐、楚，北讲于单于，然后乃可图也。”太子丹曰：“太傅之计，旷日弥久，心惛(hūn)然，恐不能须臾。且非独于此也。夫樊将军困穷于天下，归身于丹，丹终不迫于强秦，而弃所哀怜之交置之匈奴，是丹命固卒之时也。愿太傅更虑之。”鞠武曰：“燕有田光先生者，其智深，其勇沉，可与之谋也。”太子曰：“愿因太傅交于田先生，可乎？”鞠武曰：“敬诺。”出见田光，道太子曰：“愿图国事于先生。”田光曰：“敬奉教。”乃造焉。

太子跪而逢迎，却行为道，跪而拂席。田先生坐定，左右无人，太子避席而请曰：“燕、秦不两立，愿先生留意也。”田光曰：“臣闻骐骥盛壮之时，一日而驰千里。至其衰也，驽马先之。今太子闻光壮盛之时，不知吾精已消亡矣。虽然，光不敢以乏国事也。所善荆轲[⑤]，可使也。”太子曰：“愿因先生得交于荆轲，可乎？”田光曰：“敬诺。”即起，趋出。太子送之至门，曰：“丹所报，先生所言者，国大事也，愿先生勿泄也！”田光俛(fǔ)而笑曰：“诺。”

偻行见荆轲，曰：“光与子相善，燕国莫不知。今太子闻光壮盛之时，不知吾形已不逮也，幸而教之曰：‘燕、秦不两立，愿先生留意也。’光窃不自外，言足下于太子，愿足下过太子于宫。”荆轲曰：“谨奉教。”田光曰：“光闻长者之行，不使人疑之。今太子约光曰：‘所言者，国之大事也，愿先生勿泄也。'是太子疑光也。夫为行使人疑之，非节侠士也。"欲自杀以激荆轲，曰："愿足下急过太子，言光已死，明不言也。"遂自刭而死。

轲见太子，言田光已死，明不言也。太子再拜而跪，膝下行流涕，有顷而后言曰："丹所请田先生无言者，欲以成大事之谋。今田先生以死明不泄言，岂丹之心哉？"荆轲坐定，太子避席顿首曰："田先生不知丹不肖，使得至前，愿有所道，此天所以哀燕不弃其孤也。今秦有贪饕(tāo)之心，而欲不可足也。非尽天下之地、臣海内之王者，其意不餍(yàn)。今秦已虏韩王，尽纳其地，又举兵南伐楚，北临赵。王翦将数十万之众临漳、邺[6]，而李信出太原、云中[7]。赵不能支秦，必入臣。入臣，则祸至燕。燕小弱，数困于兵，今计举国不足以当秦，诸侯服秦，莫敢合从。丹之私计，愚以为诚得天下之勇士，使于秦，窥以重利，秦王贪其贽[8]，必得所愿矣。诚得劫秦王，使悉反诸侯之侵地，若曹沫之与齐桓公[9]，则大善矣。则不可，因而刺杀之。彼大将擅兵于外，而内有大乱，则君臣相疑。以其间诸侯，诸侯得合从，其偿破秦必矣[10]。此丹之上愿，而不知所以委命，唯荆卿留意焉。"久之，荆轲曰："此国之大事，臣驽下，恐不足任使。"太子前顿首，固请无让。然后许诺。于是尊荆轲为上卿，舍上舍，太子日日造问，供太牢异物，间进车骑美女，恣荆轲所欲，以顺适其意。

久之，荆卿未有行意。秦将王翦破赵，虏赵王，尽收其地，进兵北略地，至燕南界。太子丹恐惧，乃请荆卿曰："秦兵旦暮渡易水，则虽欲长侍足下，岂可得哉？"荆卿曰："微太子言，臣愿得谒之。今行而无信，则秦未可亲也。夫今樊将军，秦王购之金千斤，邑万家。诚能得樊将军首，与燕督亢之地图献秦王[11]，秦王必说见臣，臣乃得有以报太子。"太子曰："樊将军以穷困来归丹，丹不忍以己之私，而伤长者之意，愿足下更虑之。"

荆轲知太子不忍，乃遂私见樊於期曰："秦之遇将军，可谓深矣。父母宗族，皆为戮没。今闻购将军之首，金千斤，邑万家，将奈何？"樊将军仰天太息流涕曰："吾每念，常痛于骨髓，顾计不知所出耳。"轲曰："今有一言，可以解燕国之患，而报将军之仇者，何如？"樊於期乃前曰："为之奈何？"荆轲曰："愿得将军之首以献秦，秦王必喜而善见臣，臣左手把其袖，而右手揕(zhèn)抗其胸[12]，然则将军之仇报，而燕国见陵之耻除矣。将军岂有意乎？"樊於期偏袒扼腕而进曰[13]："此臣日夜切齿拊心也，乃今得闻教。"遂自刎。太子闻之，驰往，伏尸而哭，极哀。既已，无可奈何，乃遂收盛樊於期之首，函封之。

于是，太子预求天下之利匕首，得赵人徐夫人之匕首[14]，取之百金，使工以药淬之，以试人，血濡缕[15]，人无不立死者。乃为装遣荆轲。燕国有勇士秦武阳，年十二，杀人，人不敢与忤视。乃令秦武阳为副。荆轲有所待，欲与俱，其人居远未来，而为留待。顷之未发。太子迟之，疑其有改悔，乃复请之曰："日以尽矣，荆卿岂无意哉？丹请先遣秦武阳。"荆轲怒，叱太子曰："今日往而不反者，竖子也[16]！今提一匕首入不测之强秦，仆所以留者，待吾客与俱。今太子迟之，请辞决矣！"遂发。

太子及宾客知其事者，皆白衣冠以送之。至易水上，既祖取道[17]。高渐离击筑[18]，荆轲和而歌，为变徵之声[19]，士皆垂泪涕泣。又前而为歌曰："风萧萧兮易水寒，壮士一去兮不复还！"复为慷慨羽声[20]，士皆瞋(chēn)目，发尽上指冠。于是荆轲遂就车而去，终已不顾。

既至秦，持千金之资币物，厚遗秦王宠臣中庶子蒙嘉[21]。嘉为先言于秦王曰："燕王诚振畏慕大王之威[22]，不敢兴兵以拒大王，愿举国为内臣，比诸侯之列，给贡职如郡县，而得奉守先王之宗庙。恐惧不敢自陈，谨斩樊於期头，及献燕之督亢之地图，函封，燕王拜送于庭，使使以闻大王。唯大王命之。"

秦王闻之，大喜。乃朝服，设九宾[23]，见燕使者咸阳宫[24]。荆轲奉樊於期头函，而秦武阳奉地图匣，以次进至陛下。秦武阳色变振恐，群臣怪之，荆轲顾笑武阳，前为谢曰："北蛮夷之鄙人，未尝见天子，故振慑，愿大王少假借之，使毕使于前。"秦王谓轲曰："起，取武阳所持图。"轲既取图奉之，发图，图穷而匕首见。因左手把秦王之袖，而右手持匕首揕抗之。未至身，秦王惊，自引而起，绝袖。拔剑，剑长，掺其室[25]。时怨急，剑坚，故不可立拔。荆轲逐秦王，秦王还柱而走。群臣惊愕，卒起不意，尽失其度。而秦法，群臣侍殿上者，不得持尺兵。诸郎中执兵[26]，皆陈殿下，非有诏不得上。方急时，不及召下兵，以故荆轲逐秦王，而卒惶急无以击轲，而乃以手共搏之。是时侍医夏无且，以其所奉药囊提轲。秦王之方还柱走，卒惶急不知所为，左右乃曰："王负剑！王负剑！"遂拔以击荆轲，断其左股。荆轲废，乃引其匕首提秦王，不中，中柱。秦王复击轲，被八创。轲自知事不就，倚柱而笑，箕踞以骂曰[27]："事所以不成者，乃欲以生劫之，必得约契以报太子也。"左右既前斩荆轲，秦王目眩良久。而论功赏群臣及当坐者，各有差。而赐夏无且黄金二百镒，曰："无且爱我，乃以药囊提轲也。"

于是，秦大怒燕，益发兵诣赵，诏王翦军以伐燕。十月而拔燕蓟城[28]。燕王喜、太子丹等，

皆率其精兵东保于辽东[29]。秦将李信追击燕王，王急，用代王嘉计[30]，杀太子丹，欲献之秦。秦复进兵攻之。五岁而卒灭燕国[31]，而虏燕王喜，秦兼天下。

其后荆轲客高渐离以击筑见秦皇帝，而以筑击秦皇帝，为燕报仇，不中而死。

【注释】

①太傅：辅导太子的官。鞫武：太傅的名字。鞫，《史记》及鲍本作“鞠”。

②排：《史记》及鲍本作“批”。批，触动。逆鳞：倒生的鳞片。传说龙喉下有逆鳞径尺，触之必怒而杀人。

③樊将军：即樊於期，秦将，因得罪秦王而逃到燕国。

④管、晏：即管仲、晏婴，皆春秋时期著名的政治家。

⑤荆轲：战国末著名侠士。齐国贵族庆氏后代，后徙居卫国，卫人称庆卿。卫亡，至燕，燕人称荆卿。

⑥王翦：秦将，曾率军攻破赵、楚、燕等国，封武成侯。漳：水名，源出山西，经河北临漳，入卫河。邺：魏邑，故城在河北临漳西。

⑦李信:秦将,陇西成纪人。太原:赵邑,在今山西境内。云中:赵郡,故城在今内蒙古托克托东北。

⑧贽:古人初次拜见尊者时所送的礼物。

⑨曹沫:即曹刿,春秋时鲁国人。随鲁庄公与齐桓公相会于柯,持匕首劫桓公,迫桓公退还所占鲁国土地。

⑩偿破:《史记》无“偿”字,鲍本无“破”字。“偿破”,当衍一字。

⑪督亢:古地区名,在今河北涿县东,为燕国富裕地区。

⑫揕:用刀剑刺。抗:《史记》及鲍本无此字,据王念孙考证,是“扰”字之讹,且是一本作“揕”,一本作“扰”,后人误合之。

⑬偏袒:衣服袒露一臂。扼腕:用一只手握住另一只手,表示激愤的情绪。

⑭徐夫人:姓徐,名夫人,赵国男子。

⑮血濡缕:血流如丝缕。濡,沾湿。

⑯竖子:小子。此指秦武阳。

⑰祖:古代出行祭路神。

⑱高渐离:燕人,荆轲好友,以屠狗为业,善击筑。筑:古代一种乐器,似琴,秦时以竹击打,已失传。

⑲变徵:古代把乐音分为宫、商、角、徵、羽、变宫、变徵七种。变徵是一种凄厉悲凉的声调。

⑳羽声:古代七种音调之一。其调高亢愤激。

㉑中庶子:官名,战国时国君、太子、相国的侍从之臣。蒙嘉:秦臣,蒙恬之弟。

㉒振畏慕:《史记》及鲍本作“振怖”,即“畏惧”。

㉓设九宾:由九位傧相依次传呼接引使者上殿。这是古代朝廷接待外宾最隆重的礼节。

㉔咸阳宫:秦宫殿名,秦孝公时所建,故址在今陕西咸阳北。

㉕掺:操,持。室:剑鞘。
㉖郎中:官名,掌管官廷警卫的近侍。
㉗箕踞:伸开两腿坐在地上,形似簸箕,表示对对方的蔑视。
㉘十月:指秦始皇二十一年(前226年)十月。蓟城:即蓟丘,燕国都城,故址在今北京西南。
㉙辽东:郡名,在今辽宁沈阳、辽阳一带。
㉚代王嘉:赵悼襄王之子,名嘉。秦始皇十九年(前228年)秦攻破赵,公子嘉率宗族数百人逃到代,自立为代王。代是嘉原来的封地,在今山西北部和河北蔚县一带。
㉛五岁:五年,即前227～前222年。灭燕国:秦王政二十五年(前222年)秦将王贲攻辽东,虏燕王喜,遂灭燕。

【译文】

燕太子丹在秦国做人质,逃回燕国。他看到秦国将要灭亡六国,军队已经临近易水,恐怕大祸就要临头。太子丹十分忧患,就对他的太傅鞫武说:"燕、秦两国势不两立,希望太傅帮助想想办法。"鞫武回答说:"秦国的地盘遍及天下,又威胁韩、魏、赵等国,易水以北的燕国土地不一定能保住。何必因为遭受欺侮的怨恨,就去触动秦王惹他发怒呢?"太子说:"那么该从哪儿入手呢?"太傅说:"请太子进去休息,让我再考虑考虑。"

过了不久,樊将军从秦国逃到燕国,太子收留了他。太傅鞫武劝谏太子说:"不能这样做。秦王这样暴虐,又对燕国早就怀恨在心,这就足以让人胆战心惊了,又何况听说樊将军在这里呢!这就像把肉丢在饿虎经过的道路上,灾祸是肯定不可挽救的了。即使有管仲和晏婴那样的人,也不能想出好办法来。希望太子赶紧遣送樊将军到匈奴去,以便消除秦国进攻我们的借口。请往西和韩、赵、魏结盟，往南联合齐国和楚国，往北与匈奴单于讲和，然后就可以想法对付秦国了。”太子丹说：“太傅的计谋，耗费时日太久，我心里很烦乱，恐怕一会儿也等不得了。况且问题还不仅在这里，樊将军受到迫害，到处不得安身，才来投奔我，我不能因为被秦国威迫而抛弃我所同情的朋友，把他打发到匈奴去，现在该是我拼命的时候了。希望太傅重新考虑这事的办法。”鞠武说：“燕国有一位田光先生，他智谋深远，勇敢沉着，可以跟他去商量。”太子说：“希望能通过太傅与田先生结交，可以吗？”鞠武说：“好吧。”于是鞠武去见田光，转述太子的话说：“希望和先生商讨国家大事。”田光说：“遵命。”于是就去拜见太子。

太子跪着迎接田光，倒退着走，替田光引路，跪下掸拭坐席。田光坐下后，左右的人都退了出去，太子跪起身向田光请教说：“燕、秦两国势不两立，希望先生用心想想办法。”田光说：“我听说骏马在年轻力壮的时候，一日能行千里。等到它衰老的时候，劣马也能跑在它前面。现在太子听说的是我年富力强时的情况，不知道我的精力已经消耗尽了。虽然如此，我也不敢因此而耽搁国家大事，我有个要好的朋友荆轲，可以担当这个使命。”太子说：“希望通过先生能够结交荆轲，可以吗？”田光说：“好吧。”立即站起来，快步走出去。太子把他送到门口，叮嘱说：“我所告诉您的，您所讲的，都是国家的大事，希望先生不要泄露出去。”田光低头一笑，说：“好的。”

田光弯腰走着去见荆轲，对他说：“我和你相友好，燕国没有人不知道。现在太子听说了我年富力强时的情况，却不知道我的身体已经达不到了，有幸承蒙他指教说：‘燕、秦两国势不两立，希望先生用心想想办法。’我私下没把你当成外人，把你举荐给了太子，希望你到宫中去拜访太子。”荆轲说：“谨遵命。”田光说：“我听说，年高望重的人做事，不会使别人产生怀疑，如今太子告诫我说：‘我们所讲的，都是国家大事，希望先生不要泄露出去。’这是太子怀疑我。如果自己的作为让别人产生怀疑，就不是有节操、讲义气的侠士。”田光想用自杀来激励荆轲，说：“希望你赶紧去拜见太子，就说田光已经死了，表明我没有把国家大事泄露出去。”说完就自刎而死。

荆轲见到太子，告诉他田光为了表明自己没有泄密已经死了。太子拜了两拜，双腿跪下，用膝盖行走，泪流满面。过了一会儿才说：“我之所以请田先生不要把讲的话说出去，是想实现大事的谋划。现在田先生用死来表明他没有泄密，这哪里是我的本意呢？”荆轲坐定后，太子离开坐席，给荆轲叩头，说：“田先生不知道我无能，使我能有机会来到您的面前，说出我的心里话，这是上天哀怜燕国而不抛弃它的后代啊。现在秦国贪得无厌，欲望是不能满足的。不占尽天下的土地，不使天下的诸侯王向它称臣，它的心是不会满足的。如今秦国已经俘虏了韩王，全部占领了韩国的土地，又发兵南下攻打楚国，向北进攻赵国。王翦率领数十万军队逼近漳水、邺城，而李信又率领军队从太原、云中出兵攻打赵国。赵国不能抵抗秦国，一定会向秦国称臣；赵国向秦国称臣，那么大祸就要降临到燕国。燕国国小力弱，多次被战争所困扰，现在估计动员全国的兵力也不能抵御秦军。诸侯都向秦国屈服，没有哪个国家敢和燕国联合抗秦。我私下合计，我认为如果能够得到一个天下的勇士，让他出使秦国，用重利引诱秦王，秦王贪图那份重礼，就一定能实现我们的愿望了。如果能够乘机劫持秦王，让他全部归还侵占诸侯的土地，就像当年曹沫劫持齐桓公那样，就最好了；如果秦王不答应，那就乘机刺杀他。那些秦国的大将都在国外领兵，而国内又大乱起来，那么君臣之间就会互相猜疑。趁此机会诸侯可以得到喘息，诸侯能够联合起来抗秦，那就一定能够打败秦国了。这是我的最大愿望，但不知把这个使命托付给谁，希望荆卿把这事放在心上。”过了好长时间，荆轲说：“这是国家的大事，我才能低下，恐怕不能胜任这个使命。”太子上前叩头，坚决地请求荆轲不要推辞。然后荆轲才答应下来。于是太子把荆轲尊为上卿，让他住上等住所，太子每天前去问候，供奉有牛、羊、猪三牲的宴席，备办各种珍玩异物，不间断地进献车马和美女，尽量满足荆轲的欲望，让他称心如意。

过了很久，荆轲还没有动身的意思。这时，秦国大将王翦攻破了赵国，俘虏了赵王，占领了赵国的全部土地，军队又向北挺进，掠取土地，一直打到燕国南部边界。太子丹惊恐害怕，就恳请荆轲说：“秦国军队早晚就要渡过易水了，那时我即使想长久地侍候您，又怎么可能呢！”荆轲说：“太子就是不说，我也想拜见你了。现在我动身到秦国去却没有信物，那就不能接近秦王。樊将军，秦王悬赏千斤黄金、万户封邑来缉拿他。如果能够得到樊将军的头颅，和燕国督亢的地图奉献给秦王，秦王一定会乐意接见我，我才能有法报效太子。”太子说：“樊将军因为走投无路才来投靠我，我不忍心为自己的私事，而伤害忠厚长者的心意，希望你另想办法。”

荆轲知道太子不忍心这样做，于是就私下去见樊於期说：“秦国对待将军，可以说太狠毒了。你的父母和同宗族的人，都被杀害了。现在听说秦王购求将军的头颅，悬赏千斤黄金，万户封邑，您打算怎么办呢？”樊将军仰天长叹，流着眼泪说：“我每想到这些，就恨入骨髓，只是想不出什么报仇的办法罢了。”荆轲说：“我现在有一个办法，可以解除燕国的祸患，并可以报将军的仇恨，您看怎么样？”樊於期向前一步说：“您想怎么办呢？”荆轲说：“希望能得到将军的头献给秦王，秦王一定会很高兴并好好地接见我。那时，我左手抓住他的袖子，右手用匕首刺他的胸膛。这样，您的仇可报，燕国被凌侮的耻辱也可洗除了。

将军您觉得这样做怎么样？”樊於期露出一只臂膀，用一只手握住另一只手腕，上前一步说：“这正是我日夜切齿痛恨、悲愤难忍的事，今天才听到您的指教。”说完就自杀了。太子听说这事，赶紧驾车前去；伏在樊於期的尸体上痛哭，极其悲哀。事情既然已经过去，于是就把樊於期的头盛在匣子里，封存起来。

这时候，太子已经预先访求天下锋利的匕首，得到赵国徐夫人的一把匕首，用黄金百斤把它买来，让工匠用毒药水给它淬火，拿它在人身上试验，流血如丝缕，没有不立即死去的。然后准备行装，为荆轲送行。燕国有个勇士叫秦武阳，十二岁时就杀过人，人们都不敢正视他。太子就派秦武阳做荆轲的副手。荆轲要等候一个人，想跟那个人一起走，那个人住得远，还没有赶到，荆轲为此留下等他。过了一些日子，荆轲还没有动身。太子嫌他行动晚了，怀疑他要反悔，于是又去请求他说：“日子已经没有多少了，你难道无意去了吗？请让我先派秦武阳去吧。”荆轲恼怒，呵叱太子说：“我今天去了如果不能回来，就是因为这小子！如今我拿着一把匕首到吉凶难测的秦国去，我之所以暂时不动身，是要等我的朋友一起走。现在你既然嫌我行动迟缓，那就让我告辞吧！”于是就出发了。

太子和知道这件事的宾客，都身穿白衣，头戴白帽，来送荆轲。到了易水岸边，祭祀完路神，就准备上路了。这时，高渐离敲筑，荆轲和着筑声唱了起来，发出凄厉悲凉的变徵声调，人们听了都流泪哭泣。荆轲又走上前唱道："风萧萧啊易水寒，壮士一去啊不复还。"接着又唱出高亢愤激的羽声调，人们听了都怒瞪双眼，头发都竖立顶起了帽子。这时，荆轲才上车出发，始终连头也没回一下。

到了秦国以后，荆轲带上价值千金的礼品，厚赂秦王的宠臣中庶子蒙嘉。蒙嘉替他事先对秦王说："燕王实在是害怕大王的威势，不敢出兵对抗大王的军队，情愿全国都做大王的内属臣民，排在投降秦国的诸侯的行列，像直属郡县一样纳贡尽职，但求能够奉守先王的宗庙。燕王非常害怕，不敢亲自来向大王面述，特地斩了樊於期的头，并献上燕国督亢的地图，用匣子装好封妥，燕王亲自在朝堂前拜送，派使者来禀报大王。只请大王的吩咐。"

秦王听了这件事，非常高兴。于是穿上朝服，举行隆重的"九宾"大礼迎接，在咸阳宫接见燕国使者。荆轲捧着封装樊於期头颅的匣子，秦武阳捧着装着地图的匣子，按着次序往前走，来到宫殿前的台阶下。秦武阳吓得脸变了色，浑身发抖，大臣们感到奇怪，荆轲回过头来对秦武阳笑了笑，走上前去替他谢罪说："他是北方荒野地方没见过世面的人，不曾见过天子，所以吓得发抖，希望大王对他稍加宽容，让他能在大王面前完成使命。"秦王对荆轲说："起来，把秦武阳拿的地图取过来献上。"荆轲于是取出地图呈献给秦王。秦王打开地图，当地图完全展开时，藏在里面的匕首露了出来。于是荆轲趁势用左手抓住秦王的衣袖，右手拿着匕首刺杀秦王。不料没刺到身上，秦王大吃一惊，自己挣脱袖子站了起来，扯断了衣袖。秦王伸手拔剑，剑身太长，卡在剑鞘里。这时秦王惊慌着急，剑鞘又卡得紧，所以不能立即拔出剑来。荆轲追赶秦王，秦王就绕着柱子跑。大臣们都惊呆了，由于事情发生突然，出人意料，都失去了常态。而按照秦国的法律，在殿上侍奉君王的大臣，不得携带兵器。那些手持兵器的郎中等侍卫人员，都站在殿下，没有秦王的命令不得上殿。正当危急的时候，秦王来不及召殿下的侍卫，因此荆轲追赶秦王，而大臣们在仓猝之间惊慌着急，没有什么东西可以拿来还击荆轲，只好一起用手来搏击。这时候，秦王的随从医官夏无且，用他捧着的药袋投向荆轲。秦王还在绕着柱子跑，只是惊慌着急，不知怎么办，两边的人大喊："大王把剑推到背后！快推到背后！"秦王就这样拔出剑来砍向荆轲，砍断了他的左腿。荆轲腿残倒地，于是举起他的匕首向秦王投去，没有击中，却击中了柱子。秦王又用剑砍荆轲，荆轲被砍伤八处。荆轲自己知道大事不能成功，便靠着柱子笑起来，伸开腿坐在地上大骂："事情之所以不能成功，是因为我想活着劫持你，一定要得到你归还侵占土地的凭证，去回报燕太子。"两旁的人上前来把荆轲杀了，秦王眼晕了很久。然后按功劳赏赐群臣，并处罚有罪的人，各有轻重，分别对待。秦王赏赐给夏无且黄金二百镒，说："无且爱护我，才用药袋投击荆轲。"

于是，秦国对燕国非常恼怒，增派军队赶往赵地，下诏命令王翦率领的军队去攻打燕国。秦王政二十一年十月攻下了燕都蓟城。燕王喜、太子丹等，都率领他们的精锐部队往东去据守辽东。秦国大将李信追击燕王，燕王危急，采纳了代王嘉的计策，杀了太子丹，打算献给秦王。秦国继续进军攻打燕国。过了五年，终于灭掉燕国，俘虏了燕王喜。秦王吞并了天下。

此后，荆轲的好友高渐离因为擅长击筑被秦始皇召见，他用筑击秦始皇，为燕国报仇，没有击中，被杀死。

昭王既息民缮兵

【题解】

本文选自《中山策》。据其内容当属《秦策》,鲍本即在《秦策》。

秦昭王四十七年(前260年),秦国大将白起率军在长平大败赵军,直逼赵都邯郸。在这关键时刻,秦昭王却听信范雎之言,以"秦军劳"为借口,下令收兵,以致功亏一篑。一年之后,秦昭王想再次伐赵,而白起却根据当时敌我双方变化了的形势,指出"当今之时,赵未可伐",但秦昭王一意孤行,结果吃了败仗。秦昭王不反省失败的原因,还怪罪白起拒绝统兵。

【原文】

昭王既息民缮兵,复欲伐赵。武安君曰:"不可。"王曰:"前年国虚民饥,君不量百姓之力,求益军粮以灭赵。今寡人息民以养士,蓄积粮食,三军之俸有倍于前,而曰'不可',其说何也?"

武安君曰:"长平之事[①],秦军大克,赵军大破;秦人欢喜,赵人畏惧。秦民之死者厚葬,伤者厚养,劳者相飨,饮食餔馈,以靡其财;赵人之死者不得收,伤者不得疗,涕泣相哀,勠(lù)力同忧,耕田疾作,以生其财。今王发军,虽倍其前,臣料赵国守备,亦以十倍矣。赵自长平已来，君臣忧惧，早朝晏退，卑辞重币，四面出嫁[③]，结亲燕、魏，连好齐、楚，积虑并心，备秦为务。其国内实，其交外成。当今之时，赵未可伐也。”

王曰：“寡人既以兴师矣。”乃使五校大夫王陵将而伐赵[④]。陵战失利，亡五校。王欲使武安君，武安君称疾不行。王乃使应侯往见武安君，责之曰：“楚，地方五千里，持戟百万。君前率数万之众入楚，拔鄢、郢，焚其庙，东至竟陵[⑤]，楚人震恐，东徙而不敢西向。韩、魏相率，兴兵甚众，君所将之不能半之，而与战之于伊阙[⑥]，大破二国之军，流血漂卤，斩首二十四万。韩、魏以故至今称东藩。此君之功，天下莫不闻。今赵卒之死于长平者已十七八，其国虚弱，是以寡人大发军，人数倍于赵国之众，愿使君将，必欲灭之矣。君尝以寡击众，取胜如神，况以强击弱，以众击寡乎？”

武安君曰：“是时楚王恃其国大，不恤其政，而群臣相妒以功，谄谀用事，良臣斥疏，百姓心离，城池不修，既无良臣，又无守备。故起所以得引兵深入，多倍城邑，发梁焚舟以专民，以掠于郊野，以足军食。当此之时，秦中士卒，以军中为家，将帅为父母，不约而亲，不谋而信，一心同功，死不旋踵。楚人自战其地，咸顾其家，各有散心，莫有斗志。是以能有功也。伊阙之战,韩孤顾魏,不欲先用其众。魏恃韩之锐,欲推以为锋。二军争便之力不同,是以臣得设疑兵,以待韩阵,专军并锐,触魏之不意。魏军既散,韩军自溃,乘胜逐北以是之故能立功。皆计利形势,自然之理,何神之有哉!今秦破赵军于长平,不遂以时乘其振惧而灭之,畏而释之,使得耕稼以益蓄积,养孤长幼以益其众,缮治兵甲以益其强,增城浚池以益其固。主折节以下其臣,臣推体以下死士。至于平原君之属,皆令妻妾补缝于行伍之间。臣人一心,上下同力,犹勾践困于会稽之时也[⑦]。以合伐之,赵必固守。挑其军战,必不肯出。围其国都,必不可克。攻其列城,必未可拔。掠其郊野,必无所得。兵出无功,诸侯生心,外救必至。臣见其害,未睹其利。又病,未能行。"

应侯惭而退,以言于王。王曰:"微白起,吾不能灭赵乎?"复益发军,更使王龁(hé)代王陵伐赵[⑧]。围邯郸八九月,死伤者众,而弗下。赵王出轻锐以寇其后[⑨],秦数不利。武安君曰:"不听臣计,今果何如?"王闻之怒,因见武安君,强起之,曰:"君虽病,强为寡人卧而将之。有功,寡人之愿,将加重于君。如君不行,寡人恨君。"武安君顿首曰:"臣知行虽无功,得免于罪。虽不行无罪,不免于诛。然惟愿大王览臣愚计,释赵养民,以诸侯之变。抚其恐惧,伐其骄慢，诛灭无道，以令诸侯，天下可定，何必以赵为先乎？此所谓为一臣屈而胜天下也。大王若不察臣愚计，必欲快心于赵，以致臣罪，此亦所谓胜一臣而为天下屈者也。夫胜一臣之严焉，孰若胜天下之威大耶？臣闻明主爱其国，忠臣爱其名。破国不可复完，死卒不可复生。臣宁伏受重诛而死，不忍为辱军之将。愿大王察之。"王不答而去。

【注释】

①长平之事：指秦、赵长平之战。

②餔馈：把食物给人吃。

③四面出嫁：出访四方诸侯。嫁，往。

④五校大夫："校"字衍。五大夫，秦二十等爵位的第九级。

⑤竟陵：楚邑，在今湖北潜江西北。

⑥伊阙：山名，在今河南洛阳南。因两山相对如阙门，伊水流经其间，故名。

⑦勾践：春秋末越国国君，前 494 年，被吴国打败，退守会稽山，不忘国耻，发愤图报。会稽：山名，在今浙江绍兴一带 。

⑧王龁：秦将，官至大庶长。

⑨赵王：指赵孝成王，时当其八年。

【译文】

秦昭王在百姓得到休整、武器得到修缮以后，又想攻打赵国。武安君说："不行。"秦昭王说："去年国库空虚，人民饥饿，你不估量百姓的能力，要求增加军粮以便灭掉赵国。现在我使百姓得到休整，士兵得到安养，积蓄了粮食，全军的给养超过从前的一倍，而你却说‘不行’，为什么这样说呢？”

武安君说：“长平之战，秦军大胜，赵军惨败；秦国人高兴，赵国人害怕。秦国人战死的得到厚葬，受伤的得到精心治疗，有功绩的用酒食招待，大吃大喝，浪费钱财；赵国人战死的得不到收殓，受伤的得不到治疗，百姓悲泣哀号，同心协力共同忧虑国家的危难，努力耕作，来增加财富。现在大王派兵，虽比以前多出一倍，我料想赵国的守备力量，也会是以前的十倍了。赵国自长平之战以来，君臣忧虑恐惧，早上朝，晚退朝，用谦卑的语言，厚重的礼物，派使者联络四方诸侯，和燕国、魏国结亲，与齐国、楚国联盟，处心积虑，同心同德，以防备秦国来犯为要事。赵国国内财力充实，外交活动成功。现在这个时候，是不能攻打赵国的。”

秦昭王说：“我已经派兵了。”于是让五大夫王陵率军攻打赵国。王陵作战失利，损失了五校军队。秦昭王想让武安君统兵，武安君声称有病，不能去。秦昭王就派应侯范雎去见武安君，责备他说：“楚国，土地方圆五千里，战士百万。你以前率领数万军队攻入楚国，攻下了楚国的鄢和郢都，焚烧了他的宗庙，一直打到东面的竟陵，楚国人震惊恐惧，向东迁都而不敢向西抵抗。韩国、魏国前后相随，派出大批军队，你所率领的军队不到韩、魏军队的一半，却和他们在伊阙交战，把韩、魏联军打得大败，流血成河，漂起了大盾，斩首二十四万。因此韩、魏两国至今称作秦国的东部属国。这是你的功劳，天下无人不知。现在赵国的士兵在长平战死的已有十分之七八，他的国家虚弱，所以我出动大批军队，人数是赵国的几倍，希望你来统率军队，一定会灭掉赵国的。你曾经以少胜多，获胜如神，何况现在是以强攻弱，以多攻少呢？”

武安君说："当时楚王依仗他的国家大，不顾念国家政事，大臣们为争功互相嫉妒，善于阿谀奉承的人掌权，贤良的大臣遭到排斥而被疏远，百姓离心离德，城墙和护城河得不到整修疏浚，既没有良臣，也没有守备。所以我能够领兵深入，占领很多城邑，拆除桥梁，烧毁船只，以坚定士兵作战的决心，在郊野搜寻食物，以补充军粮。那个时候，秦国的士兵，把军队当做自己的家，把将帅当成自己的父母，不用结约而互相亲近，不用商量而互相信任，一心一意，同建功劳，至死不退却。楚国人在自己的国土上作战，都顾念自己的家，各怀心事，离心离德，没有斗志。因此，我才能建立战功。在伊阙之战中，韩国势力孤单，等待魏国，不想先动用自己的军队。魏国依仗韩国的军队精锐，想推韩国军队为先锋。韩、魏两国军队互相争利，不能同心协力，因此我才能够虚设迷惑敌人的军队，来防御韩国的军队，并集中精锐部队，进攻魏国没有防备的地方。魏国军队失败以后，韩国军队自然崩溃，乘胜追击败逃的军队，因为这个缘故，我才能建立战功。这都是谋划得当，顺应形势，符合自然的道理，有什么神呢！现在秦国在长平打败了赵军，不趁当时赵国震惊恐惧而灭掉它，却有所顾虑而放弃了机会，使得赵国努力耕作，发展生产，增加积蓄；孤儿得到养育，幼儿得到成长，增加了人口；修缮兵器，整治铠甲，增强了战斗力；增高城墙，疏浚护城河，巩固了防守。君主降低身份，对臣以礼相待；将帅推心置腹，和士兵同甘共苦。至于平原君赵胜这类人，都让他们的妻妾到军队中给战士缝补衣服。臣民一心，上下协力，就像越王勾践当年困守在会稽山上的时候一样。现在如果攻打赵国，赵国一定坚守。如果向赵军挑战，他们一定不肯出战。包围他的国都，一定不能取胜。攻打其他城邑，未必能够攻下。掠夺他的郊野，一定得不到什么。出兵没有战功，诸侯就会产生抗秦救赵的想法，赵国一定会得到诸侯的援助。我只看到攻打